講談社文庫

防壁

真保裕一

目次

防壁

防壁

1

総理府庁舎の横のゆるやかな坂を上って行くと、フロントガラスの右手に、いつもと変わらない国会議事堂の後ろ姿が見えてきた。午前九時四十五分。定刻通り、車はつかのま、数少ないセーフティーゾーンに入った。

首相官邸と議事堂を中心にして、この永田町の界隈には、官民あわせて常時八十名からの警備要員が配置されている。公道とはいえ、左は首相官邸、右は総理府、行く手には議事堂と議員会館がひかえ、常識では周囲に危険があるとは言えない。

だが、習慣は恐ろしい。それが分かっていながらも、佐崎康俊《ささきやすとし》は、前方を行く大臣の乗った車の周囲に視線を配り続けた。警戒を怠ることができなかった。

そんな潔癖性まがいの性癖は、おそらく自分だけではないだろう、と佐崎は考える。この仕事について三年。上司から、そして同僚たちから、徹底的に教え込まれ、鍛えられ、今ではようやくそれが習性となっていた。周囲に絶えず視線を走らせ、事前にあらゆる危険を察知し、何に代えてもＶＩＰの身の安全を確保する。たとえ、この身に代えても――。要人に忠実な番犬。危害を未然に防ぐ人の壁。それに徹するのが、佐崎たち警視庁警護課員――ＳＰ《セキュリティーポリス》に与えられた任務だった。

坂を上りきると、二台の車はスピードをゆるめることなく左折し、首相官邸の門を入った。箱番の警官が、こちらに向かい敬礼を送ってくる。

玄関前に張りついていた男たちが、カメラとペンを構え、一斉に振り返るのが見えた。総勢十五名ほど。昨日の深夜に終了した日米経済閣僚会議を受けての臨時閣議とあって、各マスコミの取材陣がすでに集まり始めていた。

佐崎はその顔触れを見渡しながら、可能な限り頭にたたき込んである報道関係者の顔との照会作業を、素早く脳裏で試みてみた。

今の自分ではとても及びもつかないが、総理番ともなれば、衆参両院議員はもちろん、首相のお膝下《ひざもと》の県や市町村の議員と、そのすべての秘書に、政党職員、院外団体、経済団体、そのうえさらに各マスコミの担当記者、私邸の使用人から出入りする出前持ちまで、総理を取り囲むありとあらゆる関係者が、その経歴をふくめ、頭の中にインプットされているという。

大蔵大臣の乗った黒塗りのＶＩＰ車が玄関前の車寄せに停車した。その後ろに、佐崎たちの乗った覆面パトカーが間を詰めて続く。

車が停まりきらないうちに、佐崎は助手席のドアを開けて降り立った。閣議前に目ぼしそうなコメントを取ろうと群がる記者の前に、さりげなく体を滑り込ませ、VIP車の後部ドアの前を確保する。

SPの警護すべき対象者は、内閣総理大臣を初めとする各国務大臣、それに衆参両院議長に最高裁長官、そして各政党の代表者に外国要人である。

通常、総理には六名、国務大臣や政党代表には二名のSPがつき、警護に当たっている。二名警護の場合、担当主任が大臣のかたわらに常時ついて回り、もう一人が目的地へ先乗りしての安全確保に努めることになっている。

官邸に集まる記者たちはIDカードを持ち、すでに門前でのチェックを受けていた。不審者が紛れ込んでいる可能性は、ゼロではないが、限りなく低い。注意しなければならないのは、不可抗力、のほうだった。

何しろ政府の要職者たちは、ご老体が多かった。年齢とそれにともなう持病からか、中には秘書に支えてもらわなければ満足に歩けない者すらいた。相手の健康よりも自社の原稿を先に考える記者たちに、そのための配慮を求めようとしても無駄だった。ひとたび闇献金の噂でも持ち上がろうものなら、文字通りの体当たりでVIPたちに近づこうとする。

本来なら、群がる記者をさばくのは、秘書ら側近たちの仕事だと言えた。が、突き飛ばされて怪我でもされれば、とばっちりが警護担当者にまで及んでくるのは避けられない。

秘書に続いて、大臣が車から降り出た。

取り囲もうとする記者は六人。取材カメラはこちらを向いていなかったが、大臣はそつなく笑顔を作り、記者たちに応えた。かたわらには、VIP車の助手席に乗り込んでいた長谷川警部補が、素早く寄り添うようにして立つ。

長谷川が顎《あご》を引いて頷いた。佐崎は先に立ち、官邸の廊下へと進んで行った。

毛足の長い絨毯《じゅうたん》を踏みしめ、階段を上がる。

閣議室前の廊下には、記者と並んで、見慣れた男たちの顔が集まっていた。地味ではあるが、動きやすさを第一に考え、体によく合った仕立てのスーツを誰もが着ている。VIPの秘書たちとは明らかに際立った体格の男たちが、そろいもそろって櫛《くし》でなでつけたような短い髪に整え、決まってその片耳には受令機からのイヤホンが伸びていた。

佐崎の同僚たち、警視庁警護課の課員たちだった。

佐崎たち課員の間で、首相官邸と議事堂は、警視庁警護課の、永田町分室、と呼ばれている。

毎週、火曜と金曜の午前十時から定例閣議が、そして、今日のように早急に処理しなければならない議題がある時には臨時閣議が、この首相官邸で行われる。国会の会期中になると、議事堂内の閣議室にその場所は移される。そのたびに、総理を初めとする各国務大臣が集合するのだ。おのずと、彼らに帯同しているSPたちも集まって来る。中には総理番の課員のように、本庁内でもめったに顔を合わす機会がなく、永田町に来なければ会えないような者たちさえいた。それが、分室と呼ばれる所以《ゆえん》である。

報道陣が締め出され、閣議室の扉が閉められた。閣議の開始時間である。

SPたちにとって、一時だけ、心から気を休められる時間が訪れた。

「おう、康坊《やすぼう》」

顔なじみの外務番の課員が、小声で佐崎に笑いかけてきた。階級は巡査部長で、佐崎と同じだったが、SPとしての経験があまりにも違いすぎた。坊や扱いは当然だった。

「おまえ、今日は大蔵番か。出世したもんだな」

基本的にSPは、担当を持たされると、VIPがその任にある限りは、専念してその警護に当たる。担当者がそう何度も代わったのでは、VIPとしても、心置きなく身を任せることができない。

総理番は二十四時間警護のために、三交代制を取っていたが、それ以外の担当者に交代要員は認められていない。そのため、連日、VIPが私邸に戻るまでは、早朝からたとえ深夜になろうとも絶えず張りついていなければならなかった。一応、決められたローテーションにそって休日が定められていたが、週末ごとに地元への里帰りや遊説をこなすVIPにつけば、そのたびに休日はつぶれてしまう。とても、昇進試験のために勉強する時間などは持てなかった。

警視庁の中では、選りすぐりの者たちが集められているにもかかわらず、実際には、SPに配属となると同時に、そこで昇進の道はほぼストップする。代わって、課員たちの優劣は、経験とその担当ポストが目安となってくる。

「飯田さんが法事でして」

「また法事か。で、今度はどなたさんの四十九日だ」

佐崎が首をかしげてみせると、自然と集まる形となっていた課員たちの間から、抑えた失笑が洩《も》れて広がった。

警護課には、総理、国務大臣、政党担当の各係と並んで、機動警護隊が設けられている。佐崎の所属は、その機動警護隊だった。担当課員の休日や、外国要人が来日した際などに出動する、言わば、遊軍部隊である。

総理番のベテランが横から顔を出し、外務番の課員に言った。

「誰の法事だろうと、出られる時に出とくといいさ。どうせ、この中の誰かが殉職《じゅんしょく》したって、まず間違いなく葬式に出ている暇はないだろうからな」

「その時には、ここにお集まりのお偉方だって、身を挺《てい》して守ってくれたSPの鑑《かがみ》のために、涙ながらご参列して下さいますよ」

「かもしれないが、ついている俺たちに焼香《しょうこう》するゆとりは、おそらくないな」

「ない、ない。あるものか」

「焼香に足を運んだって、二分もたたずに、はい、次のスケジュール、だよ」

課員たちの小声での囃《はや》し立てが続く。縁起でもない話だというのに、それからは、自分たちの葬儀の話題でひとしきり盛り上がった。ほんのつかのま、同じ危険を共有する仲間たちとの交流は、決まってこんな馬鹿話がくり返される。そうやって、どこかで一度は緊張から身を解き放してやらないと、これから深夜まで続く警護任務に耐えられないのだ。

話題が、葬儀からVIPたちの身辺スキャンダルへ変わろうとした時だった。耳に押し込んだイヤホンから、受令機のコールサインが聞こえてきた。

男たちのささやき声が、いっせいに止まった。コールはひとつ。閣議室に帯同していた各主任たちからのコールサインだった。

「さてと……」

「休憩時間の終了だ」

「行くとするか」

誰にともなく、男たちが口々に呟《つぶや》き合った。すでに表情から、それまでの笑みはかき消えている。肩を、腕をたたき合い、目配せを交わし、互いの健闘をささやかながら祈る。佐崎も下腹の辺りに気合をくれ、閣議室に向かった。

ゆっくりと扉が開く。

日本を動かす男たちが——何があっても守るべき男たちが、次々と足早に部屋を出て来る。

息つくまもない、緊張と重圧の時が、再び始まる。

その日、佐崎たちが任務を終え、大臣の私邸をあとにしたのは、日付の変わろうとする直前になってからだった。

午後二時三十五分に大蔵省の執務室を出て、その後、紀尾井町のホテルで財界関係者との懇談会をこなし、夕方には神楽坂の料亭で連立与党内の議員と会食。その報告のために一度党本部へ寄り、仕上げは銀座のとあるクラブで、次官の仲立ちのもと、証券幹部との顔つなぎだった。柿の木坂にある私邸に戻ったのは十一時すぎで、それから第一秘書とあらためて明日のスケジュールを確認し、それでようやく帰途についた。これが国会の会期中ともなれば、もっと遅くなることもざらだった。

長谷川警部補は、運転を佐崎に任せ、警視庁までの短い道のりを、泥のように眠っていた。佐崎でさえ、任務の先々で洩れ聞こえてくる会話は多い。担当主任のように、ともに公用車に乗り込み、あらゆる場に同席し、影となってついて回る立場となれば、それこそ要人の裏の裏の顔まで垣間見ることになる。

配属された当初は、彼らと自分の周りとの生活観や金銭感覚の差を思い知らされ、つい耳をそばだててしまったものだったが、そのたびごとに一々驚いていたのでは、ＳＰの仕事は勤まらない。極力、ＶＩＰたちの会話を聞き流すことにしていた。単なる壁に徹するように努めていた。

一昔前までは、警護すべきＶＩＰに惚《ほ》れ込め、でなければ、身を挺しての護衛は不可能だ、そう考えられていた。

それは一面理屈だったが、残念ながら政治家が、人々の規範となる志の持ち主だとは限らなかった。清濁あわせ呑む度量の持ち主でこそ、初めて成し遂げられるものも、おそらくあるに違いない。

今でもそんな昔気質《むかしかたぎ》の考え方を持つ者がいないわけではなかったが、課員を支えているのは、仕事への誇り、だった。警視庁全職員の中から集められた、選りすぐりの集団。その自分たちが、日本を動かすべき人物たちを守り通す、遅滞なく国を動かすための敷石――そんな自負だった。

警視庁十六階の警護課に戻ると、珍しいことに、課長と管理官の顔が佐崎たちを出迎えた。普段は各担当の係長に任せ、とうに帰宅している時間だったが、課長席の回りで深刻そうな顔をそろえていた。

つい今し方まで寝ぼけ眼《まなこ》をしていた長谷川の顔が、瞬時に引き締まった。

「おいおい、冗談じゃないぞ。今朝おまえらがしてたっていう馬鹿話が、本当になったんじゃないだろうな」

受令機を携帯しているとはいえ、任務外の通信は、皆無と言っていいほど入ってこない。

課員たちに動揺を与えたり、集中力をそぐような知らせとなれば、なおさらである。

　課長の顔色をうかがいながら、佐崎は機動係のデスクに戻った。すると、待ち構えていたように、梅津《うめづ》係長が立ち上がった。

「何かあったのでしょうか」

　佐崎が訊くと、梅津は仏頂面を作って言った。

「詳しくは当事者のほうから聞くんだな」

　係長がこんな顔をする時は、たいてい上から意にそわない指令が下った時と決まっていた。

「明日からおまえは、神谷《かみや》警部の指揮下に入る」

　神谷剛史《つよし》は、政党担当の係長だった。機動係の一員として、よその応援に出向くのは当然だった。だが――。

「しかし、政党担当には……」

「指揮下に入るのは、おまえだけじゃない。うちの半分が遊軍に出ることになった。リストアップしたのは、課長だよ。十日後にフランスの蔵相が来るだろ。その担当者をのぞくとなると、どうしてもおまえが必要だと言われた」

　やはり只事ではなかった。海外からＶＩＰが来日する場合には、一度に半数の機動員が投入されることは以前にもあった。しかし、それが政党担当係の応援となると……。

「いいな、佐崎。私情は抜きだ。どうして馬が合わないのか俺は知らんが、やつは決して話の分からない男じゃない。――神谷とうまくやるんだぞ」

送り出す側の梅津としては、不安を隠せないようだった。それほどまでに、自分が神谷を嫌っていることが知られていたとは思いもしなかった。

梅津は顎を突き出し、隣の政党係のほうに振り向けた。

「挨拶《あいさつ》してこい」

その先の係長席に、神谷剛史がいた。部下の戻りを待ちながら、何やら資料の点検に余念がない。軽く足を組み、伸びた背筋を心持ち左に傾け、長い指をコピー用紙の上に走らせ、メモを取っていた。防犯部出身、四十一歳。佐崎がSPとなって、初めて仕えた上司だった男……。

佐崎は神谷を見つめ、その横にゆっくりと歩み寄った。

神谷は顔を上げもしなかった。ちらりと横目で探るように見ると、すぐに資料の上に視線を戻した。

「頼むぞ。明日から鳴川《なるかわ》についてもらう」

「鳴川ですか……」

佐崎は耳を疑い、訊き返していた。だが、神谷はその話題に触れようとしなかった。

鳴川茂則《しげのり》は、昨年の十月に政権の座から滑り落ちたばかりの最大野党で政調会長を務める人物だった。彼の担当には、佐崎の義理の兄である、大橋誠《おおはしまこと》がついているはずである。

本来なら、大橋が佐崎の姉と結婚した時点で、どちらかが警護課から出されてもおかしくはなかった。それが、政権交代という事態の急転により、警護すべき政治家の数が一挙に増えた。現在警護課では、そのための新たな増員を募っているところだった。

が、要人警護という任務の性質上、誰にでもすぐ勤まるというものではない。SPとして採用されるには、最低でも柔剣道が三段、射撃は上級の腕が要求される。そのうえに、これまでの勤務評定が重要視される。VIPと行動をともにする以上、口の堅さや素行はおろそかにできない条件になる。しかも、そうやって選抜したうえに、警察大学校でSPとしての技術を一から教え込まなければ、実戦投入はままならない。思ったような補充がきかず、現在は、課員総出で休日を削っての超過勤務が続いていた。

佐崎と大橋がそろって警護課に残ることになった裏には、そんな課内の事情があった。それでも、義理の間とはいえ、兄弟が同じVIPの担当になるなど、普通ではあり得なかった。

言うまでもなくSPの務めは、VIPの安全確保、である。万一、暴漢の襲撃を受けて仲間であるSPの一人が傷つくような事態となっても、他の課員が仲間を助けに走るわけにはいかない。何よりもまず、VIPの身の安全。それが確保されてから初めて、暴漢に対処するという、次の行動が生まれてくる。

そこに、義理とはいえ身内の者が加われば、要人への配慮が、たとえわずかでもそがれる可能性が出る。つまりは、それだけVIPへの危険度が増すかもしれなくなるのだ。常識では、考えられない配置と言えた。

にもかかわらず、それでも自分をあえて鳴川の警護につけるからには、少しでも警護のための人員を確保したい、それだけの事態が発生した、としか思えなかった。

「集合は明日の午前六時。君は先乗りの第二班だ」

〝先乗り〟を二班体制で組むとは、やはり通常の警護ではなかった。

「長はうちの秋庭《あきば》が務める。詳しい話は明日の朝、あらためてミーティングの席で説明する。以上だ」

言いながらも、神谷の手は休まずに動いていた。手の下の資料は、どこかのホールらしき建物の見取り図だった。○や△の印をつけ、課員の名前を書き込んでいる。明らかに警護のための配備図だが、その投入人数が、尋常ではなかった。首相や海外のＶＩＰに匹敵する最大級の警護である。

「どうした」

立ち去らずにいる佐崎に、初めて神谷が顔を振り向けた。

「集合時間は伝えたはずだ。もう六時間を切っている。少しでも早く帰って、体を休めないか」

「増員の理由は教えていただけないのでしょうか」

神谷は正面から佐崎を見つめた。

警護を強化するからには、鳴川への危険が増しているはずで、言い換えれば、警護に当たる課員に危険が及ぶ確率も高くなる、ということだった。過去にも突然の増員が図られながら、上から何の説明も下りてこなかったことが幾度かあった。警護が大がかりになればなるほど、組織だった指令系統が必要とされるのは理解できた。

しかし、課員は駒ではない。

厳然たる階級組織である警察の中では、時として指令のみが先行するケースもあった。だが、危険と向き合う課員の意欲を支えているのは仕事への誇りであり、その目的や危険性の種類が分からないのでは、とても納得ずくで任務に当たることはできない。そんな不満は、課員なら誰もが抱くはずだ。

が、それは佐崎のような、まだ経験の浅い者が真っ先に言うべきことではなかった。相手が神谷でなければ、佐崎もおそらく口にしなかっただろう。

神谷は表情を変えなかった。冷めたような目で見据えながら言った。

「君はあらかじめ危険の種類が分からなければ、満足な警護ができないと言うのかね」

「いえ、しかし、それが分かれば充分な対処が……」

「脅迫状や予告状を、律義に突きつけてくる暴漢が、どれだけ世の中にいると思う。何が起こるか予想できなくとも、瞬時に対応し、最善の策を施す、それが警護のあるべき姿だとは思わないか」

理想はそうだ。しかし、そのためには、充分な人員と時間が必要だった。そして、少しばかりの休息も。

「時間がないぞ。明日のために早く体を休めないか」

言うなり神谷は再び資料に向かった。もともとが、部下の気持ちを推し量るような人物ではない。それは承知していた。ましてや相手が、自分なのだ。

佐崎は礼を返しもせず、神谷に背中を向けた。それから指示された通り、帰り支度に取りかかった。

2

いつもの最終電車でアパートに帰ると、留守番電話のメッセージランプが灯っていた。

佐崎は夕刊の記事を確認しながら、メッセージを再生した。

最初の二つは、向井恵美子《むかいえみこ》からのものだった。十時半と十一時半に二度。

「――恵美子です。また電話します」

「――疲れているといけないので、またこちらから電話します」

いかにも彼女らしく、実に手短なメッセージが残されていた。

深夜とはいえ、まだ一時を回ってはいない。フリーでライター業を始めたばかりの彼女なら起きていてもおかしくない時間だった。そう思いはしたが不思議と受話器に手は伸びなかった。

不満や煩《わずら》わしさが生まれてくるほど近くもなく、わざわざ深夜に相手の声を聞きたくなるほど気持ちは遠くもなかった。このところ、そんなどっちつかずの状態が続いている。

最後が、大橋からのものだった。

「――大橋です。まさか、一緒に仕事ができるとはな。喜んでいいのやら悪いのやら。突然、機動の応援が加わったので、おかしいとは思っていた。どうも秘書たちから洩れ聞こえた話を総合すると、昨日の夕方、どこかの馬鹿が鳴川の家に火炎びんを投げ込んだらしい。まあ、そういうことなので、お互い少しばかり忙しくなりそうだ。山を越えたら、幸江《ゆきえ》がまた腕をふるうと言ってたので、覚悟しておくように。以上。では、明日――」

夕刊には、鳴川宅へ投げ入れられたという火炎びんに関する記事は載っていなかった。表ざたにする気はないのか、それとも、したくない理由でもあるのだろうか。

明日になれば、上から、鳴川とその取り巻きに関する資料が配布されるだろうが、佐崎は机の抽出しを開け、自分で作った議員資料を取り出した。

警察大学校でSPへ上がるための訓練を受けている時に教官からアドバイスを受け、以来、新聞の切り抜きや配布された資料を自分なりにまとめるようにしていた。課員の誰もが、こんな独自の資料を制作している。

鳴川茂則、五十一歳。過去二度の閣僚経験を持つ、若手の中では屈指の実力者だった。所属する「族」は、今話題の「建設」だ。党の建設部会長、衆院建設委員長などを歴任した、言わば、建設族のエリートだった。

それだけではない。一年前に脱税容疑で逮捕され、現在公判中の身の「建設族のドン」と呼ばれる議員の直系でもあり、闇献金の恩恵を大いに受けていた人物の一人との噂もあった。二課や検察から流れてきた話では、今後のゼネコン疑惑における捜査の鍵を握る人物、とも目されているらしい。

警察にとっては、実に重要な証人にもなりかねない人物だった。と同時に、右左を問わず、過激派の攻撃目標となっても不思議はなかった。いや、深読みすれば、それ以上の、命を狙われる裏の事情があったとしても、おかしくはない。

火炎びんを自宅に投げ入れたところで、鳴川本人へ危害を与えることはできないだろうし、その事実のみで、外国要人並みの警護を固める必要があるとも思えなかった。裏に、佐崎たち課員ではうかがい知り得ない別の事情があるのだろうか。

とにかく明日だ。

佐崎はシャツを脱ぎ捨て、冷えたベッドにもぐり込んだ。

翌朝、警視庁十七階の大会議室に集められたのは、佐崎の想像を越える総勢六十余名の警察職員だった。警護課長を初め、警護課を統括する警備部の部長に、公安部からも二名の幹部が出席していた。

まず最初に、鳴川茂則に関する資料と今後一週間にわたる彼のスケジュールが配布され、詳しい編成が警護課長から発表された。

全スケジュールに帯同するのは、総勢四十三名。鳴川に二十四時間張りつく身辺警護班が、三班態勢の二十一名。先乗りが、二班十四名。それに警備一課と公安三課から応援の、右翼対策班が八名つく。どうやら上層部は、火炎びんを投げ込んだのは、右翼の仕業《しわざ》、との見方を強くしているようだった。

そのうえに、鳴川の行く先々には、機動隊と私服の警備部員が配置される。来日する国家元首でも、国によってはこれほどの警備陣は投入されない場合もあった。明らかに、具体的な身の危険を想定しての警護だった。

だが、佐崎が予想したように、詳しい状況説明は幹部たちの口から一切出てこなかった。ただ、警備部長が挨拶の最後で、一昨日の夕刻、鳴川の自宅に火炎びんを投げ入れた者がいたと、その事実のみを簡単に触れ、話を締めくくった。

「……一向に進展を見せないゼネコン事件の捜査状況からか、最近、右翼や市民グループによる抗議行動が、鳴川代議士の私邸や地元の事務所周辺で、執拗《しつよう》にくり返されている。それに、このところ新右翼系の抗議行動が過激化する傾向にあるのは、ここであらためて言うまでもなく、諸君らも承知のことと思う。一昨年の副総裁襲撃事件の苦い教訓もある。ゼネコン捜査の今後の展開いかんによっては、同じような手段に訴えてくることは、充分に有り得ると予想できる。心して警護に当たってほしい」

最後に、今日これからの詳しい行動日程と警護陣形、それに警戒ポイントを打ち合わせ、それで会議は終了した。

大会議室を出ると、総勢は大挙して地下の駐車場へ向かった。その間に、佐崎はさりげなく大橋の後ろに歩み寄った。

姉と大橋が結婚してそろそろ半年になる。が、まだ「義兄《にい》さん」との呼びかけは、面はゆくてできなかった。佐崎がためらっていると、大橋が気づき、笑いかけてきた。

「おう。先乗りだったな。しっかりと確保を頼むぞ」

もともと鳴川の担当だった大橋は、直接鳴川に張りつく身辺警護班に入っていた。それも、第一枠の、先頭を預かる位置である。

今回のように特別な強化態勢を敷く場合、身辺警護班は、二重の人の枠を作って要人の警護に当たる。直接ＶＩＰの周囲を固めるのが第一枠で、見た目には、彼らしかガードする者はいないように見える。だが、それを第二枠が、大きく遠巻きにして取り囲みながら進む。言わば、二重の防壁である。大橋はその第一枠の先頭だった。

主任でもない大橋がその位置につくのは、抜擢《ばってき》と言ってよかった。それだけの信頼を上から受けている、との現れだった。

「何か脅迫があったとか、詳しい事情は聞こえてませんか」

声をひそめて尋ねると、大橋は先を歩きながら早口に言った。

「たびたび街宣車が来るようになっていたのは事実だな。例の副総裁の襲撃事件も、最初はそんなことから始まったはずだ」

「それだけですか」

「あとは部長が言っていた火炎びんだな。ただ、昨日私邸を出る前に、第一秘書の本多《ほんだ》が血相変えて、何やら主任に相談していたようだった。顔色から、あまり穏やかな話ではなさそうに見えた」

やはり、何か具体的な脅迫の事実があったのかもしれない。

その内容が、課員にまで下りてこないことへの不満を、佐崎は大橋にぶつけてみた。

すると大橋は、目を細めながら苦笑を浮かべた。

「俺も同じような不満を、以前は持っていたよ」

「では、今はない、と？」

「いや、正直に言えば、今でも少しはある。けどな、俺たちはそれを捜査する立場にはないし、どんな事態にも対処できるようになれ、という上の理想も分からないではない。それに

――俺たちの不満も、上が言うのと同じような、ひとつの理想には違いないだろ。すべてを一々下に伝えていたのでは、組織というものは動かなくなる時もある。違うかな」

警察という巨大な組織が、階級制度をもとに機能を果たしている側面は否定できなかった。しかし、佐崎たちSPの任務は、事務や捜査職とはその性質が少し違う。上からの指示のみで、とても危険に立ち向かえるものではない。

佐崎の不満を察したのだろう。大橋はすぐに続けて言った。

「どうだろうか。上から詳しい説明がないのは、どんな状況にも対処できるよう、試練を与えられている、でなけりゃ俺たちがそれのできる連中だと思われている、そう考えてはどうだ。そう思えば、腹も痛まないし、少しは納得ずくで仕事ができる」

「人がよすぎますよ、そんな考えは。だから、うちの姉貴になんか捕まるんだ」

佐崎が苦笑を返すと、大橋は笑いながら首を振った。

「俺じゃない。俺も昔、同じようなことを思って、警部にぶつけたことがある。その時の受け売りだよ」

「警部に……」

「ああ、神谷さんに、な」

意外だった。あの神谷が、部下にそんなことを言っていた。それも、大橋に――とは……。

佐崎が黙り込むと、人のいい義兄は、何の曇りもない毅然たる表情で言った。

「警部だって、昔は俺たちと同じ悩みを抱く一課員にすぎなかった。そういうことだ」

そうだろうか。

神谷剛史は、佐崎が警護課に配属されて、初めて仕えた上司だった。

彼の名前は、警察大学校で訓練を受けている時から、課員の間に知れ渡っていた。教官である警備部の幹部から、何度もその名を聞かされていたからである。

大学時代は剣道で全国大会を制覇し、警視庁に入ってからは、エアピストルでオリンピックの候補にまでなった。語学の研修と大統領を守るシークレット・サービスの警護技術を修得するため、ワシントンへ二度の留学経験を持つ。将来の警護課を背負って立つ逸材だと、当時も今も、言われている男。

ただ、仕事と私生活を切り離して考えるタイプらしく、与えられた休日は必ず消化し、自ら進んで休日勤務につくことはなかった。

そんな割り切った考え方への批判が一部にはあるようだったが、佐崎には少しも気にならなかった。切れ者の上司の下につけるとは、願ってもないことだと思った。

当時、神谷は機動警護隊の係長だった。隊では、出動のない時に、射撃や警護術の訓練を欠かさない。神谷の監督する時に限って、その訓練が苛烈《かれつ》を極めた。

極度の緊張に耐え得る精神力と体力を養うためにと、神谷は休息なしでの訓練を佐崎たちに課した。屋内にある道場を使用するのはまれで、実際の警護を想定し、両側をさえぎられた狭い廊下や階段を使い、万一の事態に備えての訓練を重ねた。

警護課では、犯人逮捕は二の次である。ＶＩＰをかばって外敵の正面に立ちはだかり、相手の足をねらってその動きを封じる。敵の行動をいかに食い止めるか。特殊警棒を手にした相手役の課員とともに、その訓練を幾度となく反復する。

佐崎が遊軍として、初めてＶＩＰに張りつく予定になっていた日も、直前まで訓練は行われた。

その最中に、足を痛めてしまったのは、誰が見ても佐崎のミスだった。神谷に責任はない。佐崎はそれを隠して、夕方からの身辺警護についた。報告すれば、せっかくの実戦が、あと回しにされる。配属からまもなく、血気にあふれていた佐崎は、それを恐れた。

ＶＩＰはその日の最後の予定として、最近都内に建設された大規模ゴミ処理施設の視察に出かけた。

警備の隙《すき》をついて、ある市民団体の男が、ＶＩＰの前に進み出ようとした。

二枠についていた佐崎は、その男に気づき、前に立ちはだかろうとした。ちょうどエントランス前の階段を上りかけている時で、痛めていた足首に思うような力が入らなかった。

佐崎はバランスを失い、男もろとも階段下まで転落した。

男を押しとどめさえすれば、役目は果たせた。それが、転落という大げさな事態を演じてしまった。しかもその拍子に、佐崎は左足を骨折し、富士見町の警察病院へ入院となった。配属早々の失態だった。

その知らせがどう伝わったのか、心配性の姉が仕事を放り出し、病室に駆けつけて来た。ことの顚末《てんまつ》を聞いた姉は、あきれたように肩をすくめて佐崎に笑いかけた。

「あんたも見上げた根性してるわね。そりゃあ一緒に階段を転げ落ちれば、おかしな男もVIPには近づけないでしょうよ。SPの鑑だわね、これは」

姉は笑い飛ばしながら、ふくらみきった紙袋の中から、佐崎のために用意してきた下着や寝間着を取り出してみせた。

昔から、家族の誰かが病気になったりした時に一番張り切り出すのが、決まって姉だった。人から頼られるのを、何よりの喜びと感じる性質《たち》なのだ。

「あんた、どうせ世話してくれるような彼女なんて、いやしないんでしょ」

「自分だって、同じくせに」

姉の気持ちをありがたく思いつつも、佐崎はつい憎まれ口を返していた。身辺警護について早々の失態に、自分が情けなくてならなかった。訓練中に足を痛めていたことは、何の言い訳にもならないだろう。これで自分は、神谷警部から見放される。そればかりが頭を渦巻いていた。

「あたしが世話してやるから。ほら、しゃんとなさい」

そんなやり取りの最中だったと思う。病室のドアがノックされた。見放されると思った当の相手、神谷が見舞いに来てくれたのである。

佐崎が退院するまでの十日間に、神谷はその後も何度か部屋に顔を見せてくれた。訓練中に足をひねっていたことをどうして告げなかった、あの事故には自分も少なからず責任がある、一度の小さなミスぐらいで有望な新人を手放すわけにはいかない、そう神谷は佐崎に言ってくれた。佐崎もそれを信じていた。

神谷は佐崎を励ますために、見舞いに来ていたのではなかった。

3

先乗り班である佐崎たちの役目は、鳴川茂則のスケジュールにそって事前に目的地へ先乗りし、その場の安全確保に努めることだった。

行き先が党本部や国会のように、最初から警備の者がいる場所でも、念のために、出入りする関係者のチェックと備品の点検を事前に行った。これが、不特定多数の出入りするホテルや料亭ともなると、その図面を取り寄せ、鳴川が利用すると予想される箇所すべてを虱《しらみ》潰《つぶ》しに点検し、他の利用客を寄せつけないよう、その場を封鎖した。

トイレの個室、エレベーターの箱の中と外、廊下の照明、ホールの天井を走るダクトに通風口、ソファのクッション、ごみ箱の中……。金属探知機や音波探査機を持ち込みもしたが、そのほとんどは、人海戦術による課員たちの目と耳と鼻と勘に頼らざるを得ない。到着時間というタイムリミットまでの神経戦だった。

そうやって、身辺警護班に守られた鳴川の到着を見届けると、本部からの情報を確認し、次の目的地へと移動して行く。

スケジュールの先々で、鳴川を先導する大橋の姿を遠目に眺めた。とても会話を交わせるような機会はなく、無論、大橋も佐崎を探すような素振りを見せはしない。薄手のアタッシェケースを携え、人込みから飛び出す者はないか、不審な人物は見当たらないか、それだけを見極めるために視線は四方へ走る。手にしたアタッシェケースの中に入っているのは、書類などではなく、銃弾よけの鉄板である。いざという時、自分の身ではなく、VIPを守るための道具だった。

当の鳴川本人は、なかなか肝《きも》の据《す》わった人物に思えた。五十一歳という、政治家の中では若手ながらも政調会長という要職に就くだけはあり、テレビ中継などで見せる普段の様子とまったく変わりはなかった。周りを取り囲むSPに対しても、おともの数が少し増え、その分、箔《はく》がついたとでも思い込んでいるらしく、なかなか機嫌よさそうにふるまっていた。聞くところによると、ねぎらいの言葉だけではなく、時折差し入れなどを配る気遣いを見せているという。

その反対に、鳴川の取り巻き連中のほうが、盛んに神経をとがらせていた。側近たちが鳴川の周囲を小蝿《こばえ》のように飛び回り、佐崎たちの班にまで、働きぶりの監視のつもりなのか、秘書がついて回った。素人である秘書に、警護の何が分かるはずもなく、佐崎たち課員には邪魔なだけだったが、その反応は、彼らの警戒ぶりの現れであるのは間違いなかった。

三日もすぎると、班内での役割分担も自然とでき、チームとしての動きに少しは余裕が出てきた。

だが、先乗り班を預かる秋庭は言った。

「慣れが一番恐ろしいんだ。いいか、俺たちは仕事に慣れてはだめだ。いつまでも新米のペーペーのつもりでいろ。最初は何をやっても不安で不安で、何度確認してもどこかに見落としがあるような気がしてならなかったはずだ。仕事に自信がない。大いに結構。それでいいんだ。その反対に腕に自信のあるやつは、いいか、決して人に頼ろうとするんじゃない。傲慢でいろ。自分がいなければ、この班はだめだと思え。仲間のミスを自分が見つけてやるぐらいの気概でいろ」

たきつける秋庭に向かい、班の誰もが太々しく笑みを返した。たぶん皆が皆、自分は後者だと思っている。自分がいなければ、この班はだめになる、と。

佐崎も同じだった。

週末から、鳴川茂則は地元の静岡を中心とした東海地方を回る遊説《ゆうぜい》へ出る予定になっていた。

土曜の早朝に新幹線で静岡へ向かい、党の県部会に出席、藤枝の市民文化ホールで「新人を励ます会」へ顔を出し、その日は浜松へ移動して一泊。翌日曜日は、現地のホテルと豊橋で講演をこなしてから帰京、というのがスケジュールである。

一昨年の副総裁襲撃事件も、遊説先で会場警備の隙をつかれての凶行だった。そのために警護課では、静岡、愛知両県警に呼びかけての特別警護本部を設置し、側面支援による警護態勢の強化を図った。

何らかの危険を感じているのなら、少しは普段の行動もそれなりに控えてもらいたかったが、政治家が週末を自宅で過していたのでは票と人脈につながらない。

おかげで、佐崎たちの仕事量は飛躍的に増える。宿泊先、交通機関、そのアクセス箇所に沿道と、先乗り班の重要性は増すばかりだ。

また、講演会などでは一度に多数の支持者と接する機会があり、会場の事前チェック以外にも、その場の警備に大量の人員が必要となる。地元の警察から機動隊員が派遣されるのだが、佐崎たち先乗り班も、交代して会場警備にあたらなければならなかった。

この遊説により、佐崎の休日はまたもあと回しとなった。

次の休みには、必ずそれまでの埋め合わせをする。そう向井恵美子に約束をしたような気もするが、それを口にしたのはいつのことだったろうか。このままでは、いずれどちらからともなく連絡をしなくなる。それは佐崎にも分かっていた。

こういう時に限って、いくら電話をしても彼女がつかまらない。気持ちとは別の、何かあと押しするものがなければ、先に進めないことも確かにある。

結局、佐崎は彼女の留守番電話に、謝罪のメッセージを形ばかりに残し、遊説先の警護に出発した。

4

ホールから盛大な拍手が聞こえてきた。佐崎は足を止め、扉の並ぶ会場通路を振り返った。同時に受令機のコールサインが鳴った。

「たった今講演が終了した。まもなくVはホールを出る。秋庭班は至急所定の持ち場へ移動しろ」

佐崎は拍手の鳴り響くロビーを小走りで抜けると、正面玄関から駐車場へ駆け出した。ホール内に散らばっていた秋庭班の課員が、次々に走り出て来て配置についた。

佐崎たち先乗り二班は、この藤枝と豊橋での会場警備を担当していた。鳴川一行はここを出ると、浜松に押さえてあるホテルへは寄らずに、その日のうちに豊橋へと直行する。各会場は、愛知県警によって事前のチェックが行われているのだが、警護課の手により、重箱の隅をつつき返しての確認作業を再度行わなければならない。

佐崎は駐車場を囲む植え込みの前に立ち、ホールから次々と吐き出されて来る人の流れに目を向けた。

鳴川の出入りする前の三十分間は、駐車場への立ち入りが禁止される。が、その周りの歩道上には、ホールを出た支持者たちが多数行き交っている。地元の大物代議士に直接話しかけようという、熱心な支持者がいないとは限らなかった。また、それに見せかけた、暴漢も――。

予想した通り、駐車場の脇を固める機動隊員の間を抜け、鳴川の車へ近づこうとする支持者たちの姿があった。

「駐車場、南出口付近に支持者たちが集まっている。山室と平野はそちらに急行し、整理に当たれ」

すぐに受令機からの指示が飛ぶ。

「これよりVがエレベーターに乗り込む。通用口から駐車場までの確保はいいな」

少しだけ無線に間があいた。通用口を固める警備担当者とのやり取りが行われているのだろう。

「――了解した。ちょうど県連の幹部がVに挨拶をし始めたところだ。五分ほど、ここで時間を稼ぐ」

　待ち受けようとする支持者の整理に時間がかかっているようである。通用口を眺めてみたが、佐崎の持ち場からでは、機動隊の車両が邪魔になっており、見通しは利かなかった。

　六分ほどで、身辺警護班からの無線が聞こえてきた。

「今、乗り込む。三十秒で下につく」

　やり取りに耳を傾けながら、佐崎はさりげなく周囲に視線を走らせた。

　ホールから出て来る人の流れは、駅方面へ向かってまだ続いていた。が、中には、物珍しさからか、機動隊員の立ち並ぶ駐車場へ立ち寄ろうとする者たちがいる。その流れに押され、母親に連れられていた五、六歳の子供が、植え込みの前で倒れた。

　駆け寄ろうと、佐崎が足を踏み出した時だった。

　どこかで、車のバックファイアーのような音が上がり、ホール上空に響き渡った。少し遅れて、後方から悲鳴が聞こえた。

　明らかに通用口のほうからだった。

　続いて、どよめきを通り越した叫びが、波となって押し寄せてきた。

　膚《はだ》が粟立《あわだ》つ。まさかと思いながら振り返ると、通用口に集まりかけていた支持者たちの群れが、先を争うようにして四方へ散っていくのが見えた。

　受令機の声が叫ぶ。

「Vを車に押し込め。Vが先だ。第二弾を防げ！」

無線がひび割れ、取り乱した口調の指示が続く。

「出せ。すぐに出すんだ。指定通りの病院へ直行しろ！」

万一の事態に備え、目的地の先々で最も近い救急病院がリストアップされていた。指定の病院とは、その救急病院のこととしか思えなかった。

もう間違いはない。あのバックファイアーのような音——あれは、銃声だったのだ。

佐崎の目の前を、VIPの乗った警護車がサイレンを鳴らし、走り抜けて行った。ブロンズガラスにさえぎられているため、中の様子は見えなかった。受令機がようやく、緊急時の三連コールサインを発した。

「各自、現場を離れるな。機動三隊は、ホール前の路上を封鎖しろ。市民の整理に当たれ。秋庭班は移動を中止し、直ちに付近の挙動不審者を探せ。ただし、相手は銃を持っている。くり返す。敵は銃を所持している」

佐崎は歩道に倒れた子供を助け起こすと、周囲を見回し、走り出した。音の出所を思い出そうと視線を巡らせたが、気ばかりが焦り、記憶と思考は同じ場所をぐるぐると回り続けた。

それをあおるように、受令機からの指令が叫ぶ。

「……くり返す。敵は銃を所持している。発砲地点はまだつかめていない。銃声と付近の状況から、ライフルの使用も考えられる。機動二隊は、付近のビルを当たれ。出入り口を押さえるんだ！」

ライフルによる狙撃――。政府要人を標的としたテロでは、警護課が創設されて以来、過去に例のない事態だった。

佐崎は散り散りになる市民の群れを前に、素早くホールの周囲へ目をやった。通用口の前は、片側二車線の道をはさんで、飲食店の入った雑居ビルが並んでいる。開いている窓は、一つ、二つ、三つ。だが、狙撃と同時に閉められてしまえば、その判断はつかなくなる。

「発砲地点の当たりがついた。通用口から見て、前方左だ。秋庭班は左側のビルを押さえろ！」

正面に向かいかけていた佐崎は、背中をせり上がりつつある不安を抑え、横手のビルを振り返った。アスファルトを蹴り、人込みを分けて走った。

無線は最初、銃声のみでは発砲地点の特定はできない、と言ったはずだ。それなのに、詳しい現場検証もしないうちに、この短時間でその判定ができたからには、手掛かりになる材料が現場に残されていた、それ以外には考えられない。

手掛かりとして最もふさわしい材料――それは、体に撃ち込まれた銃弾の角度を見ることだった。しかもその判定は、鳴川の乗ったＶＩＰ車が現場を去り、しばらくしてから行われている。

まさか……。

SPの誰かが——。

ビルに向かって走る佐崎の前を、回転灯を乗せた覆面パトカーが、フルスピードで駐車場を出て行った。まさか、あの中に課員の誰かが……。

受令機から秋庭の指示が聞こえてきた。

「清水、福山は、一階に喫茶店の入ったレンガ色のビルだ。田沢と佐崎はその左。残りは一つ置いた銀行の上だ。急げ！」

佐崎はビルの前で田沢と落ち合った。

「俺は正面から行く。おまえは裏だ。機動隊員を見張りに残したら、中を探る。いいな」

「分かりました」

佐崎はゴミで埋まったビルの間の路地に飛び入った。

遅れてビル裏に駆け込んで来た機動隊員に、非常階段下の確保を任せ、佐崎は鉄階段を駆け上がった。

警護課員は、配属と同時にブローニングの支給を受け、身辺警護にはそれを携帯する決まりとなっている。だが、それは、対外的な発表にすぎなかった。

過去にSPが銃を使用した例は、一度としてなかった。暴漢がVIPに近づこうとする場合、周囲の人込みに紛れ込むのが普通だった。そうなれば、たとえ凶器を持つ者が迫ろうとも、銃はまず使用できない。狙いがそれた場合、その周囲の一般市民を傷つけてしまうからだ。暴漢に立ち向かう時、課員に使用の許される武器は、実際には特殊警棒ぐらいのものだった。そのため、課員の中には、警護に当たる時もブローニングを携帯しない者が少なくなかった。

佐崎は今回、先乗り班の担当なので、警視庁の保管庫に銃を預けたまま、こちらへ来ていた。ライフルを持った狙撃犯がこの階上に隠れていたとしても、立ち向かう武器は、スーツの裏に潜めた特殊警棒だけだった。

だが、佐崎はそれすら取り出さず、階段を二段飛ばしに駆け上がった。自分の身を守ることは二の次だった。狙撃犯の所在をつかむのだ。そして、そいつを決して逃がしてはならない。それだけを考えていた。

課員の誰かが負傷したのは、ほぼ間違いないように思われた。その犯人を、自分が逃がすわけにはいかない。

二階の踊り場まで一気に駆け上がった。非常ドアに手をかけ、開け放つ。

体を低くかがめ、中に躍《おど》り込んだ。短い廊下を見渡したが、窓の前には誰もいない。どこかの事務所らしい薄汚れたドアが三つ並んでいた。硝煙の臭いも漂ってはいない。この階ではない。

背後でエレベーターの止まる音がした。

身構えたが、扉が開き、中から現れたのは田沢だった。

「どうだ」

「この階ではありません」

「よし。俺はこの上。おまえはその次を頼む」

二手に分かれてビルの中を隈《くま》なく回った。だが、空の薬莢《やっきょう》はおろか、硝煙の残り香すら発見できなかった。あとで詳しい調査は必要だったが、少なくともこのビルではないように思えた。受令機からは依然として、発砲地点の確認も、犯人逮捕の報も入ってこない。

代わりにイヤホンから聞こえてきたのは、佐崎を呼ぶ秋庭の声だった。

「秋庭班の佐崎に告げる。機動隊員にその場を任せ、至急、駐車場内の指令車まで来てくれ。くり返す……」

秋庭の声は、妙に感情を押し殺したように沈んでいた。

佐崎は田沢と顔を見合わせた。ここへ来て、自分だけが呼び出される理由はあまり思い当たらなかった。あるとすれば、ひとつだけだろう。

佐崎を見つめる田沢の顔が、痛ましげにゆがんだように見えた。

5

悲鳴にかき消されて銃声はよく聞こえなかったが、鳴川に向けて発射された銃弾は二発だった。その一発が、大橋の胸を襲ったのだ。かすかな救いは、弾が貫通した箇所が右胸だったことだ。

その傷口から、狙撃地点のあたりをつけたのは、外ならぬ大橋本人だった。覆面パトカーにかつぎ込まれながら、大橋は自分の胸の傷を指し、一言、「左からだ」と呻《うめ》いたという。佐崎は県警のパトカーに乗せられ、大橋の運ばれた救急病院へ急いだ。

受付で尋ねると、ちょうど傷口をふさぐための緊急手術が始まったところだという。手術室前の廊下には、一人の制服警官が、忘れられたかのように、ぽつりと立っているだけだった。同僚の警護課員は、一人として付き添ってはいなかった。

残っていた警官の話によると、大橋は失血により一時意識が遠のきかけたが、病院到着と同時に輸血が行われ、そのまま手術室へ運ばれたという。医師によれば、貫通箇所から見て、後遺症などの残る心配はまずないだろうとのことだった。

当の鳴川は、簡単な診察を受け、無傷が確認されていた。その後のスケジュールをすべてキャンセルし、直ちに掛川《かけがわ》の私邸へ戻った。それに課員たちも帯同したのである。

自らの身を挺し、銃弾に倒れたというのに、その手術を見守る者さえほとんどいない。それが、SPの宿命だと言えば言えたし、それぐらいの覚悟は佐崎もしているつもりだった。だが……。

いざ現実を前にしてみると、どうしようもなく空しさが先に立っていた。

二時間ほどで手術は終了し、大橋は集中治療室に移された。術後の一定期間はそこに入る決まりになっているために移されたもので、さほど心配はいらない、と医師は淡々と佐崎に言った。

その直後、県警の私服に連れられて、東京から姉が到着した。

途中で容体については聞かされていたらしく、姉に取り乱したところは見られなかった。彼女は佐崎と顔を合わすなり、ため息まじりに呟いた。

「SPの鑑、第二号ね」

いつかの佐崎の入院を皮肉っての言葉だった。

「……けど、夫としては最低」

強がるように姉は言ったが、その唇は血の気を失い、紫色に沈んでいた。

集中治療室の前まで足を運んだが、大橋はまだ麻酔から覚めていなかった。

今日のうちにも集中治療室を出ることができそうだ、と医師に言われ、夕方には最上階にある個室が用意された。それくらいの贅沢《ぜいたく》は許されてもいいだろう。

「まったく、どうしてこう、人の看病ばかりさせられるのかしら」

ようやく調子を取り戻し始めた姉と、二人して入院の準備を進めている時だった。

病室のドアがノックされた。

買ってきたばかりの洗面用具をサイドテーブルの上にそろえていた姉の手が、不自然なまでに動きを止めた。

予感があったのかもしれない。

それもそうだった。仕事中に義兄が凶弾に倒れれば、真っ先に駆けつけて来るのが当然だった。姉でなくとも予想はできる。正直いえば、佐崎も頭の隅で、それをひそかに恐れていた。

いつかと同じように病室のドアが開いた。

神谷剛史が顔をのぞかせた。


もう二年も前になるのだろうか。ようやく骨折が完治し、仕事に復帰して半年ほど経ったころだった、と佐崎は記憶している。

久しぶりに実家から電話が入り、姉の様子に何か心当たりはないか、と言われた。家族の者が電話をしても、アパートにいないことが多く、いても、いつもの元気がまるで感じられないのだという。そう言えば、あれほど口やかましかった姉から、近ごろはぱったりと電話が入らなくなっていた。

その時は、誰にでも家族に言えない悩みのひとつぐらいはあるだろう、と佐崎は思ったにすぎなかった。

ちょうどそのころ、佐崎の所属する機動警護隊では、まもなく来日する英国首相の警護のため、その下準備に追われていた。イギリス側との打ち合わせは数十回に及び、あとは来日の日を待つだけだった。そんな押し迫った時になって、新たなスケジュールの変更を求める問い合わせが入った。

高い失業率に民族問題を抱え、イギリス本国では過激派によるテロが頻発しており、イギリス側が慎重になるのは仕方なかった。そこで警護課長と管理官が、慌ただしく大使館へ出向いた。その鞄持ち兼運転手役が、佐崎に回ってきた。

配車事務に問い合わせたが、事前の予定になかったためか、車の都合がつかなかった。かといって、地域部警ら隊のパトカーを利用し、大使館へ乗りつけるのも気が引けた。そこで管理官が、ちょうどその日迎賓館へ資料を運ぶためにある課員が自宅から乗って来ていたという車を借り出したのだ。そんな事情は、あとになって佐崎は知った。

大使館で課長たちの帰りを待っている時、先に駐車場の車に戻ったのは、佐崎の単なる気まぐれだった。大使館員の行き来するロビーが、少しばかり気詰まりに思えたからで深い意味はなかった。

助手席のグローブボックスを開けたのも、それが課員から借りていた車だとは知らなかったからだ。ましてや、神谷係長のものともなれば——。

そこで佐崎は、見覚えのある女物の腕時計を目にした。

最初はただの偶然だろう、と考えた。同じ型の時計は何万と作られているに違いない。だが、革のバンドの古びたところまでが、よく似ているように思えてならなかった。

三日後に、佐崎は無理やり理由を作り、仕事帰りの姉を呼び出し、それを確認した。

当時、三十をすぎてもいっこうに結婚しようとしない姉を見て、実家の母は気をもんでばかりいたが、佐崎はまったく心配していなかった。姉には姉なりの生き方というものがあるだろうし、それは家族がとやかく口出しするものでもなかった。姉のことだ。結婚をしたくなれば、誰が反対しても、するに決まっていた。そう佐崎は信じていた。

世間では、人目を忍ぶような関係が増えていると、面白おかしく言う連中はいた。誰もが聖人君子であるわけでもなく、別にそんな関係を持つ者が佐崎の周囲にいたとしてもおかしくはないだろう。

だが、まさかあの姉が……。想像もしなかった。

しかもその相手が、あろうことか、神谷だとは……。彼は警察庁幹部の娘と結婚し、それが将来を約束されたと言われている理由のひとつともなっていた。

信頼していた姉と、心酔していた上司の思いもしなかった一面を見せられ、二重に裏切られた気がした。あまりにも馬鹿馬鹿しく、また腹立たしく思えてならなかった。

偶然を装い、姉に大橋誠を引き合わせたのは、佐崎である。

特別な理由があって、彼を選んだわけではない。仕事以外にさしたる趣味も交友関係もない佐崎には、同僚以外に当てはなかった。

誠実なだけが取り柄で、あまり面白みのある男とは言えないかもしれない。だが、大橋が、仕事においても私生活においても、信頼の置ける男であるのは間違いなかった。緊張と重圧の中で仕事をしている仲間だからこそ、その取り組み方から見えてくるものが、確実にあった。

佐崎の思惑通り、大橋はいたく姉のことを気に入ったようだった。

だが、結婚にまで話が進むとは、正直言って予想していなかった。それが、神谷とのことを忘れる足がかりにでもなれば――そう思って引き合わせたのだ。

直接それについて姉と話すことはなかったが、たぶん彼女は気づいていたのではないだろうか。姉のほうも、そんな関係をいつまでも続けるわけにはいかないと分かっていたはずだ。

だからといって、あの男を忘れるために結婚を決めたのではないだろうことは、一年半という、短くはない二人の交際期間が物語っている気がした。

皮肉にも、二人の結婚とほぼ時を同じくして、神谷は政党担当の係長へ立場が変わり、大橋の上司となった。

すでに二年がすぎていた。わだかまるものがあったとしても、ほんの些細なかすり傷程度のものだろう。そう佐崎は考えていた。

だが、ノックの音を聞き、姉は見た目にも痛々しいほど、びっくりと震えるようにしてその動きを止めたのである。

6

姉も神谷も大人だった。そして、もちろん、佐崎も——。

神谷は事故に遭った部下を見舞いに来た上司に徹し、姉は夫の上司に対する妻の役を見事に演じ切った。

舞台裏を知りながら、何も知らない観客として、佐崎はそれを最後まで見届けた。三人が三人とも、その事実を知りながら、知らない振りを押し通した。

「大変申し訳ありませんが、今日はこれから本庁のほうで緊急対策会議がありますので、すぐにも戻らなければなりません。大橋君の顔を見られないのは残念ですが、いずれまた暇を見つけて、必ず参ります」

「お忙しいところをわざわざお見え下さり、ありがとうございました」

「係長、自分も……」

「君はまだいい。明日の六時に掛川署で、今後の警備態勢が発表される。それまではこちらにいるといい」

「分かりました。ありがとうございます」

悲しいまでに大人だった。

大橋は九時すぎになって、集中治療室から個室へ移された。すでに麻酔から覚め、意識はしっかりしていた。集中治療室前の廊下で出迎えると、妻である姉より先に、大橋は佐崎を認めて、目を見開いた。

「どうして、君までここにいる……」

かすれ声を振り絞り、いきなりストレッチャーの上で体を起こそうとした。それを見て、看護婦が目を丸くし、押しとどめようと手をかけた。

「鳴川はどうした……。どうして持ち場から離れている」

「心配はいりません。鳴川は無事が確認されて、掛川の自宅へ戻っています。あとのことは心配いりません」

「犯人が捕まったのか……」

「いえ、そうではありませんが」

「なら、どうしてそんなことが分かる。どうして心配ないと……」

「もうやめてください。傷口を広げたいんですか」

ストレッチャーを押す看護婦が、邪険に佐崎を払い退けようとした。

大橋の手が弱々しく上がる。

「俺はいいから、戻れ……任務に戻るんだ」

「もうやめて！」

なおも佐崎に何か言おうとした大橋に向かい、姉が叫ぶように言った。ストレッチャーへ押さえつけるようにして、夫の手を、見た目にも強く握り締めた。それまで、少しも取り乱した様子のなかった姉が、初めて見せた動揺だった。

「やめてよ、もう。お願いだから……」

肩を震わせて言う姉の目に、見る間に涙が浮かんでこぼれた。


翌朝、掛川署の大会議室に、静岡県警の幹部を初めとする、特別警護本部の全職員が集合した。

その中には、神谷剛史の姿もあった。本庁での対策会議に出席したあと、その結果を携《たずさ》え、とんぼ返りで再びこちらに戻って来たようである。

政党担当の係長としては、鳴川一人にかかりきりとはなれないはずだった。そのため、今回の遊説には、警護課と警備部の管理官が帯同し、陣頭指揮に当たっていた。しかし、狙撃という、日本国内における要人テロにはかつてなかった事態を前にして、警護本部そのものを強化せざるを得なくなったのだろう。神谷と並び、課長までもが本庁から駆けつけ、顔をそろえていた。

最初に、地元静岡県警から、現場検証による詳しい狙撃の状況が発表された。

現場に残されていた銃弾から、狙撃に使用された凶器が特定されていた。口径5・56ミリのライフルで、大橋の体を貫通した傷の具合から、弾丸の回転運動が安定していたことが分かっており、現場から少なくとも百メートル近く離れた地点からの狙撃だと推定された。狙撃地点の絞り込みには、もう少し時間が必要だという。

犯人がライフルによる狙撃という、これまでにない手段で鳴川を襲おうとした理由については、よほど腕に自信があったか、標的から一定の距離を保つことで逃走を優先させようとしたのか、捜査本部での見方は今のところ二つに別れていた。

いずれにせよ、犯人が一度きりの襲撃であきらめてくれる保証はどこにもなかった。次は、人込みから短銃で襲ってくるか、それとも爆発物を使用してくるかもしれず、充分な警戒が必要だった。

現在、本庁の公安、刑事の両部と合同して、猟銃ならびにライフルの所有者、射撃経験者を片っ端から洗っているところだという。

次に、警護課長から、これからのスケジュールと今後の警護態勢について説明があった。

まずは警護車である。これまで使用していたのは、強化ガラス採用の公用車だった。それが、防弾ガラスを使用した警護用専用車に変更となった。

身辺警護班には、防弾チョッキの着用が義務づけられた。頭を撃たれてしまえば意味はなかったが、多少の気休めにはなるだろう。周囲の見た目を配慮し、ご丁寧にシャツの下につけろとの指示まで出された。

最後が、編成についての説明だった。

「身辺警護班の増員は行わず、原則として今までの態勢を崩さずにいく。大橋警部補の代わりとしては、復帰までの間、一班に神谷警部が加わる。これは、部下だけを危険にさらすわけにはいかないという、警部自身の強い申し出である」

課員の間から小さなどよめきが上がった。佐崎も驚かずにはいられなかった。神谷が、大橋の代わりに……。

係長自らが身辺警護に当たることは、ほとんどなかった。それも、自ら志願してだという。そのためにわざわざ神谷は、一度東京へ帰りながらも、再びこちらに戻って来たのだった。

課長に続き、神谷が課員たちの前で立ち上がった。

「すでに佐崎から聞いて知っているとは思うが、幸いにも、大橋の傷はそれほど深くなかった。医師の話では、二週間ほどで退院できるそうだ。やつのことだ。おそらく、ひと月もあれば、現場に復帰するだろうと思う。諸君らの中には、できるものなら狙撃犯の捜査に加わり、この手で大橋を撃ったホシを挙げたい、そう考えている者もいるかもしれない。正直なところを言えば、私にもその思いはある。だが――」

そこで神谷は言葉を切り、表情を引き締めた。

「そんな思いは一切忘れるんだ。捜査は公安部と刑事部に任せておけ。そのために、彼らがいる。そして我々の仕事は、VIPを守ることにある。それが、警視庁全職員の中から選ばれた、俺たちに与えられた任務なんだ。敵は狙撃という、過去に例のない手段で鳴川を狙ってきた。だが、これは鳴川個人への攻撃ではない。日本という国を動かす男たち、すべてに挑戦してきたも同じだと考えろ。俺たちが守るのは、鳴川という一人の代議士ではない。我々市民を代表し、日本を担うべき者たち、すべてを守る。つまりは、我々の生活を——秩序ある日常を、守ることでもある。それを決して忘れてはならない」

神谷の言葉に熱がこもった。課員の誰もが顔を上気させ、檄《げき》を飛ばす神谷の姿に注目していた。

神谷が部下を見回し、口調を変えて静かに続けた。

「最後に、もう一言だけ言わせてもらう。君たちにこんなことを言うのは、酷であると充分に承知している。しかし、それが俺たちSPに与えられた任務だ。敵の襲撃はどこから来るか分からない。——大橋に続け。以上だ」

その後のスケジュールをすべてキャンセルし、鳴川は東京への帰途についた。

事件直後の配慮もあり、新幹線を使っての移動は見送られた。代わりに、沿道をずらりと警備陣に囲まれての大名行列で、鳴川一行は、無事、東京に到着した。

私邸の前には報道陣が黒山となって押し寄せ、さながら命を狙われた英雄を出迎える、凱《がい》旋《せん》パレードのような騒ぎだった。

その夜、佐崎が三日ぶりにアパートへ戻ると、留守番電話にメッセージが残されていた。恵美子からのものだった。

「テレビのニュースで、あなたの後ろ姿を見つけました。たぶん、あなただと思います。気をつけて下さい。また電話します」

彼女には、鳴川の警護についたことは伝えていなかった。

どれだけ自分の姿がニュースに映っていたのかは分からない。だが、言葉通り、後ろ姿だけで自分を見分けたのだとすれば、彼女の観察眼はSPとしても通用するかもしれない。そんな視線で背中を見られていたとは、佐崎にはまったく思いもかけないことだった。

受話器を取り上げようとした手を止め、佐崎は腕時計を睨みつけた。

二時三十五分。いくら何でも、彼女ももう休んでいる時間だった。

7

狙撃事件以降、鳴川茂則の行動範囲は、最低限に抑えられた。

それまでは、夜の料亭政治やゴルフ場でのグリーン会談に並々ならぬ熱心さを持っていた鳴川だったが、さすがに自重したのか、私邸、国会、党本部の安全地帯を巡回するにとどめてくれた。行動範囲が狭まることは、警護する側にとって非常に都合がよかった。

警察の威信をかけた捜査にもかかわらず、狙撃犯に関するめぼしい情報は得られなかった。

そもそも、ライフルの所有者や狙撃の経験者を虱潰しに当たっていったとしても、犯人にまで行きつくかどうか、疑問はあった。狙撃という、日本の要人テロでは、かつてなかった犯行に出てきた犯人が、簡単に足のつく武器を選んだ可能性は低いだろう。本部でも、そういった見方が大勢を占めていた。だが、出来る限りの捜査員を投入し、あらゆる可能性を塗り潰していくのが、捜査の常道だった。

その捜査本部をあざ笑うかのような事態が、狙撃から四日後の夜に発生した。

掛川の鳴川宅の門柱に、二発の銃弾が撃ち込まれたのである。

鳴川本人の周辺を固めていた警護本部としては、完全に裏をかかれる形となった。掛川の自宅のほうはまったくと言っていいほど無防備だったのだ。

次は家族を狙う、との犯人側の意思表示かと、各マスコミは一斉に囃し立てて報道した。

残された弾丸から、今回は短銃による発砲と判明し、本部ではその捜査にもかからねばならなくなった。

が、二度の襲撃により、鳴川の行動は一層慎重にならざるを得なくなり、次の週末は遊説の予定をすべてキャンセルし、東京の私邸に引きこもってくれた。

おかげで、ようやく佐崎に、ほぼ三週間ぶりの休暇が巡ってきたのである。

急に決まった休日だった。真っ先に、恵美子のことを考えたが、彼女のほうが仕事の都合で東京を離れる予定になっていた。あれから、電話で一度話しただけで、再びすれ違いの日々が続いている。まの悪い時とは、こんなものだろうか。

午前中、佐崎はそれまでの睡眠不足をたっぷりと補い、新幹線で静岡へ向かった。

酒の好きな大橋のことだから、さぞや困っているだろうと思い、差し入れのポケット瓶を藤枝の駅前でこっそりと仕入れ、救急病院を訪れた。

正面玄関から入院病棟へ回り、訪問者用の通用口を入ったところで、佐崎は後ろから呼び止められた。

「ちょっと、そこの人……」

振り返ると、初老の警備員が腕を組んで立っていた。警備員は佐崎をひとわたり眺め回すと、入り口横に置かれたテーブルの上を指さして言った。

「見舞いだったら、そこのノートに訪問先の部屋番号と名前を書いていってもらう規則になってるんだがね」

見ると、入り口の横に指揮台のような小さなテーブルが置かれ、その上に一冊のノートとボールペンが備えられていた。

言われた通りに、佐崎は名前と訪ねる先の部屋番号を書き入れた。

するとその様子を見ていた警備員が、何かに納得したかのように大きく頷いた。

「ああ、あんたか……。けど、困るんだよね」

「何がでしょうか」

わけが分からず問い返すと、警備員は眉をひそめて佐崎を見返した。

「警察の人だか何だか知らないけれど、あなた、いつもこれ、書いてないでしょ」

「いえ、見舞いに来たのは今日が初めてですが……」

佐崎の答えに、警備員の小さな目が戸惑うように揺れた。

「あれ、そうでしたか……。とにかく、規則なんでお願いしますよ」

ぼやくように言うと、警備員はそそくさと背を向け、廊下の奥へ歩いて行った。

佐崎も立ち去りかけて、ふと思い直し、もう一度テーブルのノートを振り返った。警察の人だか何だか知らないけれど……。そう警備員は言ったはずだ。

警察の人――。

佐崎は廊下を戻り、先ほどの警備員を呼び止めた。

「ちょっとお訊きしますが、警察の者がこちらに何度か見えたのでしょうか」

勢い込んで尋ねすぎたのか、初老の警備員は慌てたように目を瞬かせた。

「……病院の中には注射器だとか薬だとか、何かと物騒なものがあるでしょう。部屋にはお金を置いてる人もいるし。もちろん、警察の人なら心配はないけど、一応、規則で決まっているものですから」

「いえ、そうではなくて、大橋さんの部屋を訪れながら、いつも記録をつけない警察関係者がいるのですね」

「だから、一応、規則だと……」

警備員は言葉を濁しながら、曖昧に横を向いた。やはり、誰かが訪ねているのだ。警察関係者の誰かが――。

「四十代の前半で、背格好は私と同じくらい。少し目つきの鋭い人じゃないでしょうね」

「いや、あたしはいつもこの時間帯だから。引き継ぎの時にちょっとそんな人の話を聞いたもんだから……」

――神谷ではないだろうか。

その名前が真っ先に佐崎の胸に浮かんだ。

身辺警護班は二十四時間ＶＩＰに張りつくために、三交代制を敷いている。詳しいシフトまでは分からなかったが、東京からこの藤枝まで、新幹線を利用すれば一時間と少しで着く。当番開けの日ならば、誰にでも往復はできる。

もちろん、大橋への見舞いなら、何も問題はないだろう。傷ついた部下を見舞うのは、上司として当然の務めだった。しかし、神谷はかつて佐崎を見舞いながら、別の目的を持っていた。それに、ただ見舞いに訪れたのなら、何もノートに名前を書くのをためらう必要はない。

考えすぎだ、と自分でも思う。姉はすでに大橋の妻なのだ。あれからもう二年の月日が流れている。

姉も、そんなおかしな神経の持ち主ではないはずだ。夫が銃弾に倒れたというのに、密かに別の男と会えるものではない。

いや、それより何より、どうしてこんな状況の中、神谷が姉のもとを訪問できるというのだ。

狙撃の状況を訊くために、特捜の刑事たちが訪れたに違いない。見舞いではなかったからこそ、ノートに名前を記そうとしなかったのだ。そうだとも。きっとそうに決まっている。

胸に言い聞かせながらも、エレベーターを降りたところで足が止まった。

こんな気持ちのまま部屋を訪ねては、姉に対し、大橋の前で決して口にしてはならないことを口走ってしまいそうで怖かった。

どれくらいそこで躊躇《ちゅうちょ》していただろうか。心を決めかね立ちつくしていると、前方の病室のドアが静かに開いた。ちょうど、大橋の部屋の辺りだった。

姉だった。洗濯に行こうとしているらしく、紙袋と洗剤の容器を下げていた。姉は部屋の中に向かい、にこやかに笑いかけてドアを閉めた。

そして、こちらを振り返った。

姉の動きが制止した。息を詰めたように、顔から表情が消え失せていた。

「なあ、姉さん……」

「何だ、驚かさないでよ……」

妙に慌てて言うと、それから、わざとおどけてみせるような大きな仕草で手を振った。

佐崎は姉に歩み寄った。見つめることができず、視線を外しながら小声で問いかけた。

「警部が何度かこっちに来たそうだね」

姉は頷き返さなかった。急に堅い表情に変わると、佐崎の前を離れ、エレベーターのボタンを押した。こちらが何を切り出そうとしているのか、予想がついたのだろう、どこか無愛想な押し方だった。

背中を向けた姉に言った。

「もちろん見舞いなら、別にかまわないさ。けど、義兄さんの代わりとして身辺警護班についていて、ほとんど暇らしい暇もないはずなのに、わざわざ時間を割いて何度も足を延ばして来てるとなると、ちょっとばかし熱心すぎやしないだろうか」

「代わりって、何よ」

姉は眉を寄せると、肩越しに佐崎の目をのぞき込むように見た。

「聞いてないのか？」

答える代わりに、姉は扉の開いたエレベーターの中へ口を閉ざしたまま乗り込んだ。

佐崎もあとに続いた。

「どういうことだよ。わざわざ部下を見舞いに来て、どうしてそんな重要なことを伝えてないんだ。そんなの少し、おかしくないか」

「別におかしくないわよ。……顔は合わせたけど、口ひとつきいてないから」

「会ったのは確かなんだな」

「だから言ったでしょ。何も話してないって。あんたと同じように、あの廊下の先で立ってただけだから……」

「廊下に……？」

それで先ほど廊下で自分を見かけた瞬間に、姉は表情を失ったのだ、と納得できた。

姉はそこに自分ではなく、神谷の姿を見ていたのである。

病院を訪れながらも、来訪者のノートに名前を記さなかった人物は、やはり神谷だった。

その目的は、大橋の見舞いではない。神谷は寸暇を惜しんでわざわざこの藤枝まで、姉に会いに来ていたのである。

怒りよりも、当惑が先に立っていた。大橋がその任務を忠実に果たし、凶弾に倒れたというのに、隠れてその妻に会いに来る……。

理解できなかった。神谷はいったい何を考えているのか。たとえ、多少なりとも姉に未練を残していたとしても、今のこの時期に会おうとするとは、正気の沙汰とは思えなかった。

まさか、今でも二人は……。

「おかしな心配しないでよね」

気持ちが顔に出ていたのかもしれない。姉が怒ったように言い残し、足早にエレベーターから出て行った。慌てて佐崎もあとを追った。

屋上だった。突き当たりのドアの向こうに、包帯と洗濯物が並んで風に揺れていた。

姉はホール左のランドリー室に入って行った。コイン式の洗濯機が三台置かれている。姉は佐崎に背を向けるようにして、洗濯機のひとつに向かった。

「どういうことなんだよ。どうして警部が、わざわざこんなところにまで会いに来ようとする」

「知らないわよ、そんなこと……」

姉は洗濯機の上げ蓋《ぶた》を引き開けると、紙袋の中の洗濯物を、次々と投げ込んでいった。不《ぶ》躾《しつけ》な問いをくり返す弟への憤《いきどお》りか、それとも、姉も神谷の真意を図りかねているのだろうか。

姉は力任せに蓋を閉じると、堅く口を結んだまま財布を取り出し、中の小銭を探った。

「分かったよ。何もないなら、俺から警部に言おう」

「ほっといてよ、もう」

その拍子に何枚かの小銭が床に散らばった。しゃがみ込んでそれを拾おうとする姉の背中が小さく見える。佐崎は慌てて姉の隣にかがんだ。

「けど、姉さんだって迷惑なんだろ。違うのか」

「そう、迷惑よ」

立ち上がった姉は、拾い上げたコインを手当たり次第というような勢いで、投入口に押し込んだ。

「神谷だけじゃなく、あんたも大橋も、みんな迷惑。だからもうほっといて」

いくらスイッチを押しても、洗濯機はなかなか動いてくれなかった。

「何よこれ、壊れてるの」

姉はそう言い、何度もコインの投入口をたたき続けた。

8

ほっといてくれ、という姉の言葉に従ったわけではないが、佐崎は神谷と顔を合わせても意見や忠告などはできなかった。

係長という立場にありながら、身辺警護班に加わっている神谷とでは、顔を合わす機会は警護の最中と限られていた。任務中では、さすがに姉とのことを話題に出せるような雰囲気はなく、佐崎のほうも与えられた仕事をこなすのが精一杯で、とても話しかけるようなゆとりは持てなかった。

すれ違いざまに視線で怒りを訴えるという、いささか頼りない方法に出たりもしたが、現場では、誰もがそんな目つきをして動き回っている。気休めほどの効果もなかった。

狙撃から十日がすぎても、捜査はほとんど進展しなかった。

ライフルや射撃経験者の追跡作業はほぼ終了していた。が、狙撃犯につながる手掛かりはどこからも得られていないという。現在、ライフルに関しては、盗難品の洗い直しとその再捜査が進められていた。

私邸に撃ち込まれた銃弾が短銃のものだったこともあり、使用された銃器を密輸により調達したケースも考えられた。口径5・56ミリとなると、米軍の制式ライフルと同じ口径である。米海軍がフィリピンのスービック基地から撤退してまだまもなく、横流しされたライフルがフィリピン・ルートで密輸された可能性も大いに考えられた。

射撃の腕に関しても、最近はグアムやサイパン辺りに飛べば、旅行者でも簡単に銃の試射ができる。ある暴力団では、ヒットマン養成のため、グアムツアーを開催しているとの情報まであった。そのため、捜査本部では右翼関係者の海外旅行回数まで探り始めているという。

掛川の私邸に銃弾が撃ち込まれて以来、自宅に無言電話や脅迫状の類いが届いていると聞いたが、表面上、鳴川への攻撃は影をひそめていた。

いつまでもテロに脅えていては、政治家としてのメンツにかかわるとでも思ったのか、それとも、警察の申し出通りに私邸へ引きこもっていたのでは、自分の政治的発言力に影響が出かねないと判断したのか、狙撃から二週間目に、事件後初めての遊説にでかける、と鳴川側が言い出した。それも、わざわざ記者会見を開いてまで、である。

「テロによって言論を封じ込めようとは、断じて許せない。国民に向かって政治家が自分の信条を述べることができないようでは、日本に未来はなくなってしまう。法治国家を守るためなら、たとえこの身が犠牲になっても悔いはない」

テレビ向けのこざかしい腹芸だった。

鳴川本人にしてみれば、最近のゼネコン事件で陰の黒幕と噂された自分の悪いイメージの払拭《ふっしょく》を狙ったつもりなのだろうが、わざわざ狙撃犯人をあおるような行為でもあった。鳴川だけに被害が及ぶのなら致し方ないとも言えたが、大橋のこともある。彼の言う犠牲が、鳴川本人ではなく、SPに出てしまう可能性のほうが高いのだ。

警護本部では遊説先の県警と合同対策本部を設置し、沿道や会場周辺に三百名を超える警察官の投入を決定した。

「まったく、いい迷惑だよ」

深夜の対策会議を終えて警護課に戻ると、古手の課員の一人が真っ先にぼやいた。

先乗り二班の田沢が頷き、それに応じる。

「けれど、これだけの警護を敷けば、必ずマスコミが派手に伝えてくれる。犯人だって、火の中に飛び込むような真似はしないだろうよ。多少の抑止効果はある」

「だな。俺がホシだったら、しくじったすぐあとには狙わないね」

「そう、そう。いつまでもこんな厳戒態勢を続けるわけにもいかないし、ほとぼりが冷めるのを待ったほうがいい」

冗談まじりにぼやく部下たちに向かって、秋庭が言った。

「だがな、ゼネコン事件の捜査のほうは待ってくれやしないぞ」

確かにそうだった。仮に、犯人側の目的が鳴川の口封じにあるとすれば、このまま引き下がるとは思いにくい。

「てことは、一丁目の出方次第ですか」

警視庁と検察庁は、同じ霞が関の一角にあるが、警視庁は二丁目の桜田門前、検察庁は一丁目の日比谷公園側にある。

「早いとこ、あちらさんに頑張ってもらって、鳴川をしょっぴくなり、大物バッジを挙げるなりしてもらいたいね」

「賛成。特に鳴川をお願いしたい」

「そうなりゃ、俺たちはすぐにでも解放される」

馬鹿話にはいつも乗ってくるはずの田沢が、笑いの輪から離れて、秋庭に向かった。難しい顔を作りながら言う。

「班長。そうなると、危ないのはやはり今度も週末ですかね」

秋庭に見つめ返され、田沢の視線がしばし落ちた。

「どうしてです？」

佐崎は横から訊いた。

「いや、別にたいした根拠があるわけじゃないんだが……ほら、脅迫状や家族への無言電話なら、犯人がどこにいたって手軽にできる。しかし、実力行使となるとそうはいかない。火炎びんの投げ入れや狙撃は、週末に発生している」

発端となった火炎びんの投げ入れが、今月の第一日曜日。藤枝での狙撃が、第二土曜日……。

「でも、掛川の実家に銃弾が撃ち込まれたのは……」

「そう、水曜だ。けれど、こっちは深夜のことで、たとえ昼間に仕事を持ってるやつでも、自由に行動のできる時間だ」

多少こじつけとも思える見方かもしれない。だが、確かに深夜なら、特殊な仕事に就いていない限り、誰にでも自由に行動はできる……。

秋庭が釘を刺すように言った。

「まあ、待て。遊説先に出ている鳴川を狙うとなれば、自然と週末が多くなる。それに、犯人が単独犯だとも同一犯だとも決まったわけではないんだ。まあ、あらゆる可能性を考えたほうがいいだろうがな」

その瞬間、思いもしなかった想像が、佐崎の頭をかすめていった。

同僚たちと庁舎を出た佐崎は、有楽町の駅前で踵《きびす》を返し、再び警視庁へ足を向けた。打ち消そうと思いながらも、ぬぐうことのできない影が胸の奥でふくらみつつあった。

時刻は十二時をすぎていた。総理番の連絡要員と当直以外に残っている者はそう多くない。十六階の警護課へ上がると、奥のソファで五人ほどが、夜食の弁当をかき込んでいる最中だった。

「おう、どうした、康坊」

「ちょっと忘れ物を」

幸いなことに、政党担当係のデスクに、課員は一人も残っていなかった。

佐崎は自分のデスクの抽出しを何度かかき回す振りをしたあとで、ソファの五人を視界の端にとらえながら、管理官のデスクに近寄った。

雑多な資料類のファイルと並んで、今回の鳴川に対する特別警護の編成表が置かれている。その中には、身辺警護班のシフト表もあるはずだった。

さりげなくファイルの表紙をめくった。

上から三枚目に、目指す表がはさまれていた。佐崎は、担当者の名前の上を、端から順に追っていった。

大橋の名前が線で消された上に、その名前はあった。

視線は横に続く日付欄を移動する。

見つけた。先週の水曜日、警護は午後八時で終えていた。翌日の木曜日は当番明けで、金曜日に午前八時からの第一当番となっていた。

自分でも、あまりに馬鹿げた想像だと思う。とても推理と呼べるものではなく、単なる妄想にすぎないものだった。それは理解している。

しかし、シフト表で見る限り、先週の水曜日に、東京と静岡の間を往復する時間が、神谷にはあったはずなのだ。そして当然、深夜に掛川の鳴川邸へ足を延ばす時間も――。

佐崎はそれ以前の勤務表を探してみた。

警護課員に日曜を休むという考え方はない。日曜だろうと休日だろうと、VIPが行動する限り、その警護に当たらなければならないからだ。課員を束ねる立場の係長も同じである。警護課内の本部に詰め、指示を出す必要がある。

しかし、毎週その任務についていたのでは、休日がなくなってしまう。そこで、課員たちは一定のローテーションで休みを取り、機動警護隊がその補充に当たる。各係の長は、担当管理官と交互に、土曜日曜の任務に当たっている。

勤務表に、この一ヵ月の神谷の休日が記されていた。

火炎びんの投げ入れられた第一日曜日。大橋が銃弾に倒れた第二土曜日。そのいずれもが、神谷の休日に当たっていた。

そして、掛川の鳴川邸に銃弾が撃ち込まれた夜──。その夜も、神谷には静岡へ向かうだけの時間があった。

しかも、神谷はこれまで、藤枝市内の救急病院を、見舞いのためではなく、何度か訪れている。それは間違いない。

常識として、過激派組織の標的となっていた代議士が狙撃されれば、誰もがその本人を狙っての犯行だと思う。たとえ実際に銃弾に倒れたのが、代議士を守るSPだった──としても。

その代議士は、自宅に火炎びんを投げ込まれ、脅迫状や無言電話が続いていた。狙撃後も、掛川の私邸の門柱に銃弾が撃ち込まれている。どこから見ても、狙われているのは代議士その人、としか思えない。そう考えるのが普通だった。

自分でも、あまりあり得る想像ではない、と思う。

だが、SPの──それも身辺警護班の課員を狙うに最も適した場、それが、警護の最中、ではないだろうか。

思想信条に利権と裏金。SPが守るべきVIPたちは、それらに十重《とえ》二十重《はたえ》と取り囲まれ、いつ襲われてもおかしくない者たちばかりだと言えた。彼らを守るSPは、絶えず見えない危険と向き合い、いざVIPが襲われた場合には、誰もが身を挺して守る覚悟で警護任務に当たっている。危険は承知のうえだ。VIPを守るため、身代わりにSPが倒れたとしても何の不思議はなかった。大橋のケースのように――。

無論その場合には、警察としても徹底的な捜査を行う。命を狙おうとする動機を持つ者を、片っ端から調べ上げるはずだ。

だが……。その中心は、VIPに対して動機を持つ者になる。身代わりとなって倒れたSPに、動機の面からの捜査が及ぶことは、まずあり得なかった。

しかも今回の犯人は、狙撃から四日後に、鳴川の私邸に銃弾を撃ち込むという、二次攻撃も行っている。誰が見ても、犯人たちの襲撃目標は、鳴川だった。大橋が狙われたのでは、と考える者がいるとは思えない。

今回の犯行は、歩く人物を百メートル離れた地点から狙撃できる腕を持つ者でなければ、不可能だった。

その腕が、神谷にはある。エアピストルとライフルでは、少し勝手が違うかもしれないが、神谷はオリンピック候補になったほどの射撃の腕前を持っている。ライフルのための新たな練習を多少なりとも積めば、たやすいことではなかったろうか。

それだけではない。神谷は政党担当の係長という立場にある。守るべき鳴川のスケジュールは把握しているし、警護態勢も熟知している。元副総裁の襲撃事件を契機に、課内では銃器によるテロへの対策も取り始めていたが、ライフルなどを使用しての遠方からの狙撃には、外国要人を警護する時以外はほとんど重視されていない実情も理解している。現場近くでどの辺りの警備が手薄だったか、どこへ逃げれば警備陣に出くわすことがないか、それも一目瞭然の立場にあった。

まだある。

係長という立場にある彼は、大橋を現場のどこに配置するか、その指示を出す権限も持っていた。狙撃の当日は、神谷の休日に当たっており、藤枝での警護には帯同していない。防犯部出身となれば、銃の密輸ルートについても、かなりの知識があるはずだ。凶器の入手経路に心当りがあったとしてもおかしくはない。

いや、それより何より神谷には、大橋を殺害するにたる動機がある。そう佐崎には思えてならなかった。

警察官が同僚を殺害する。起こってはならないことだったが、警察官といえども人間である。人並みに誰かを憎むこともあれば、いけないと思いつつも他人を羨《うらや》むこともあるだろう。そして、密かに誰かに想いを寄せることも——。それらが殺意に成長したとしても、別に不思議はないだろう。だが、大橋に直接手をかけたのでは、やがては動機の面から自分の犯行だと知られてしまう。そのために——。

「お疲れ様です」

ふいに課員の声が耳に届き、佐崎は我に返った。顔を上げ、奥のソファを見回した。何人もの課員が立ち上がり、自分のほぼ真後ろへ目を向けていた。

振り返ると、神谷がこちらを見て立っていた。

声が出なかった。何か言わなければいけない、この場から立ち去るきっかけを作るのだ、そう思いながらも、佐崎は身動きひとつできずにいた。

きっかけは、神谷から与えてくれた。

「どうした。まだ帰らなかったのか」

「あ、いえ……忘れ物をしたもので」

とっさに言い訳を口にし、佐崎は軽く一礼した。そのつもりだったが、機械仕掛けのようにぎこちない動きになっていたかもしれない。神谷の視線の先が、佐崎から後ろの管理官のデスクへ移った。

「お先に失礼します」

佐崎は逃げるようにその場を離れた。

振り返らずに歩いた。後ろを見ればそこに、神谷の視線が待ち受けているであろうことは、強張りそうになる背中がはっきりと感じ取っていた。

9

翌日、鳴川は埼玉県内で新たに開通した有料道路の記念式典に出席し、その後、川越と浦和の二会場で講演会を行った。

各会場の入り口には、ゲート式の金属探知機が設置され、入場者全員の携帯品検査が実施された。その厳戒態勢は、取材する報道陣と警護本部の間で押し問答となる一幕を引き起こしたほどだった。

川越、浦和の両会場での講演を無事に終え、佐崎たち二班は、地元県会議員と会食予定のある市内の料亭へと先乗りした。

県警からの応援要員とともに、料亭内とその周辺のチェックをすませ、鳴川一行の到着を待っている時だった。

「佐崎、ちょっと来い」

秋庭に呼ばれ、佐崎は覆面車の中に誘われた。

課員たちに聞かれたくない話があるようだった。思い当たる用件がなく、佐崎は一瞬、大橋の容体を心配した。だが、一昨日に姉から、経過は順調で退院も近そうだ、と電話があったばかりだった。

「何かあったのでしょうか」

佐崎が訊くと、なぜか、こちらを見る秋庭の顔が心なしか堅くなったように見えた。

「たった今、本部から打診があった」

「打診……」

「このくそ忙しい時だってのに、中村が盲腸で入院した。薬で散らしていたそうなんだが、あの馬鹿、痛みをこらえたせいで、腹膜炎を起こしかけていたらしい」

中村は、身辺警護班の一人だった。その中村の入院と自分がどう関係を……。

「つまりは、身辺警護班にまた一人欠員ができてしまったことになる」

欠員。ということは当然——。

佐崎は息を呑み、秋庭を見返した。

「大橋の時は、警部が買って出てくれたが、今度はそう簡単にはいかない。機動から補充を当てたいが、問題は明後日に来日する、フランスの蔵相だ。現状では、手空《てあ》きの機動員はほとんどいない」

「では……」

「うちの班から出すとなれば、経験から見ても、おまえになる。しかし、大橋のことがあった矢先だ。義理の間とはいえ、身内に事故があったばかりでは、おまえに動揺が残っていたとしても仕方はない。それで上の連中から、念のために確認を取れ、とのお達しがきた」

上から——。

瞬時に、昨夜のことが思い出された。あの時、管理官のデスクで自分が何を見ていたのか——神谷が気づいたとすれば……。

「誰が私を推薦したのでしょうか」

「うちから出すとなれば、誰だってまずおまえを考える」

信頼されるのはありがたかった。しかし、自分を選んだのが神谷だったとすれば、どうなるか……。

「おまえなら、決して怖《お》じ気づくようなことはない。必ず任務を果たせるはずだ。そう上には俺から言っておいた」

秋庭は促すように頷くと、佐崎の目をのぞき込んで言った。

「できるな。頼んだぞ」

すぐには頷き返せなかった。


打診、と言ったが、すでに秋庭が答えていたのでは、佐崎に拒否はできなかった。すれば、課内での問題になる。それに、もし今回の打診の裏で神谷が動いていたのなら、向こうの意志をこちらが感じ取った、その事実を相手に告げるのも同じだった。

無論、不安は隠しようもなくあった。あり得ないと思いつつも、自分まで大橋と同じ危険にさらされるのではないか。そのための配置変更――そうも思えてくるのだった。

だが、狙撃以来、鳴川を囲む人の壁は、より分厚く、強固なものになっていた。その警護の輪の中に、自分が入ればどうなるか。

いくら警護態勢を詳しく知る者でも、手を出すのはあまりにも難しいのではないか。大橋と同じ方法を採ろうにも、今では警護態勢があまりにも違いすぎた。とても勝算あってのこととは、考えにくい。

とにかく、今回の配置変更を誰が言い出したのか、それを探るのが先決だった。

翌朝、佐崎は警護課へ出勤すると管理官のもとへ出向き、誰が自分を推薦したのかを尋ねた。

管理官は、どう訊いても、自分を励ますような言葉を返すだけで、それに答えてはくれなかった。上意下達は、こういうときに厄介だった。下っ端の佐崎では、裏で神谷が動いていたかどうかの確認は、残念ながらできそうもなかった。

佐崎は否応もなく、身辺警護班に加えられた。所属は、第三班。初日の任務は、朝からVIPに張りつく、通称、第一当番だった。

その日の鳴川のスケジュールは、八時十五分までに永田町の党本部へ出向き、役員会に出席。昼食をはさんで政調審議会の会合をこなし、午後は、建設部会長とともに臨海副都心地区の建設事務所を視察。その後、四時三十分に千葉市湾岸の幕張に新設されたホテルへ移動し、夜はそこの大ホールでの時局講演会だった。

　遊説以外の日は、原則としてひとつの班が警護に当たるのが普通である。しかし今回は、講演会という一度に多数の市民と接する場があり、会場警備に重点を置かなければならない。そのため、佐崎たち第三班がホテルまでつき、その後一班と交代し、三班はそのまま会場警備に当たる、というシフトが組まれていた。

　大橋の代わりに加わった神谷の受け持ちは、一班である。幕張のホテルで佐崎たち三班の到着を待ち受けることになっている。三時には本庁を出発し、幕張に向かう予定だ。何かあるとすれば、それまでの時間になるか……。

　管理官から防弾チョッキを支給された。その何と薄く感じられることか。いや、たとえこのチョッキに弾を受け止める能力があったとしても、頭を狙われればそれで終わりだった。

　佐崎はブローニングを保管庫から受け出すと、カートリッジを込め、ベルトの右腰に差した。この武器も、相手がライフルで向かってくれれば、何の役にも立たないだろう。

　唯一頼れそうなのは、防弾アタッシェケースだった。だが、これは要人のための防具で、自分の身を守るためのものではない。銃声と同時に、これで自分の頭を隠そうものなら、たとえどんな理由があろうとも、警護課始まって以来の笑い者となる。

　佐崎は配属となって以来、絶えずＶＩＰの盾《たて》となることを、執拗にたたき込まれてきた。いざという時は、身を投げ出してでも、ＶＩＰを守る覚悟はできていた。少なくとも、そのつもりで任務についてきた。現に一度は、VIPに近づこうとする男の前に立ちはだかった。今さらその覚悟が揺らぐはずはない、と思っていた。

ところが、わずかな疑惑から、自分が狙われるかもしれない、その可能性がある——そう感じて初めて、恐怖が足元をぐらつかせていた。

同じことではないか。VIPを守るも、自分を守るも。そう思おうとした。

だが、現実は違う。

出発時刻が迫っていた。佐崎は思い切って、藤枝に泊まり込んでいる姉のもとへ電話を入れた。

早朝の電話に、姉はまだ休んでいたのか、驚くより先に機嫌を悪くしたようだった。

「いったい全体、こんな時間に何の用よ」

「今日から身辺警護班に回されることになったんだ」

そう告げると、姉はしばらく電話口で黙り込んだ。ようやく返ってきたのは、突き放したような言葉だった。

「勝手になさい。とめたって人の防壁になるつもりなんでしょ。馬鹿よ、あんたたちは」

「ひとつ、訊いていいかな」

「訊くのはあんたの勝手よ。でも、答えるかどうかは私の勝手だからね」

「警部がそっちの病院に行った、正確な日にちを知りたいんだ」

返事はなかった。息遣《づか》いさえ聞こえてこない。

「なあ、先々週の水曜なんだが、警部はそっちに行ったんじゃないのか」

「あんた、何を……」

ようやく聞こえてきた姉の声は、囁《ささや》くように小さかったが、はっきりと震えていた。その声を聞き、佐崎の心臓も震え上がった。

佐崎は確信した。姉も、自分と同じ不安を胸に抱いたことがあるのだ。だからそれ以上の言葉が出なかった。つまりは、神谷の訪ねて来た日が、掛川にある鳴川邸に銃弾が撃ち込まれた日と重なっている――そうに違いない。

「佐崎。出発だぞ」

同僚から声がかかった。

佐崎は声をひそめ、早口に言った。

「義兄さんの代わりを務めてみせる。そう伝えておいてくれないか」

「あんた、ちょっと……」

姉の呼びかけを耳に残し、佐崎は受話器を置いた。

午前七時四十分。鳴川の乗る警護専用車を真ん中に、前後を覆面車で固めて私邸を出発した。

走行中に万一狙撃を受けたとしても、警護車は防弾ガラスを装備している。鳴川に危険は及ばなかった。だが、佐崎たちの乗る覆面車は、強化ガラスになっていても、防弾ガラスは採用していない。狙撃されれば、弾丸をくい止めることは不可能だった。

ただ、課員がどの車両のどの席に座るかまでは決まっていなかった。自分がどの席に着くか分からなくては、沿道のどちら側で待ち受けていいかの判断はできず、車への狙撃は不可能だった。

そこまで考え、佐崎は邪念を振り払おうとした。何もまだ、神谷が自分を推薦したと決まったわけではなかった。狙撃の確証もあるわけではない。しかし……。

もしあの夜に佐崎がシフトを確認したことから、自分がそれに気づき始めていると知れば、こんな絶好の機会を見逃すはずは……。

いや、仮にそうだったとしても、私邸、党本部、臨海副都心地区の建設事務所と、その周囲三百メートルは、狙撃に備えて機動隊と警備部員が何重にも取り巻いている。今の警備態勢では、たとえ神谷といえども手出しは不可能ではないか……。大丈夫だ。自分が狙撃されることなど、あるはずがない。

車は隊列を崩さず、首都高速に上がった。

佐崎は胸にためていた息を細く吐いた。防音壁に囲まれた高速内での狙撃は、百パーセント不可能だった。

「どうやら佐崎でも緊張することがあるようだな」

班長の児玉が笑いながら声をかけてきた。

胸の中の動揺を読まれていたらしい。分かっている。余計な恐れを抱きながらでは、ろくな警護はできない。そう思いはするが、予感というのは悪い方向ばかりへ転がりたがる、いびつなボールのようなものだった。自らが標的にされるわけではない、との確信があるからこそ、SPは危険に立ち向かって行けるのだ。

霞が関で高速を降り、警護車の列は永田町へ入った。

党本部が近づくにつれ、がりがりと壁をかきむしるような音が聞こえてきた。街宣車のスピーカー音だった。ゼネコン事件への関与を取り沙汰される鳴川への抗議に、どこかの右翼団体が、党本部ビルの前へ乗りつけようとしているらしい。

「朝っぱらからご苦労なことだよ」

課員の一人があきれまじりに呟いた。ジュラルミンの盾《たて》を持った機動隊員が、街宣車の周囲をぐるりと取り囲んでいる。

機動隊に守られながら、党本部ビルの車寄せに停車した。

佐崎は児玉に続いて覆面車を降りた。警護車へ走り、後部ドアを守るようにして立つ。待ち受けている報道陣は七、八人。警護の物々しさに、近づこうとする者はいない。街宣車のボリュームが一際《ひときわ》大きくなった。

秘書がドアを開け、鳴川が降り立った。

四人で楔型《くさび》でVIPを取り囲む。佐崎の持ち場は、後方の左。

悠然と鳴川が歩き出した。二メートルほどの距離を保って後ろに続いた。鳴川の背中を目の端で捕らえながらも、視線は左手に見えるビルに釘づけとなる。窓に人影はないか。屋上の看板前に光を反射する物はないか。

背後にも高層ホテルがあったはずだ。思いついて、佐崎は振り返ろうとした。足元にまで気が回らず、玄関前の段差に足を取られた。危うくつまずくところだった。

体勢を立て直し、少し遅れて玄関をくぐり抜けた。

「何をしてるか」

後ろに続き、一枠を見守る児玉からの叱責《しっせき》が、受令機のイヤホンを通して飛び込んでくる。

役員会の開かれる幹事長室にたどり着いた時には、一度に緊張が解け、佐崎はその場に座り込みそうになった。腕の時計に目をやると、八時十三分。鳴川に張りついてから、まだ一時間も経っていなかった。

党本部内には、背後関係を充分に調査された民間警備会社の社員が配されている。そのうえに、要所では私服の警官が目を光らせ、ビル周辺を機動隊員が囲っていた。党も神経をとがらせ、出入りする関係者に厳重なチェックを行っている。

このビルの中では、よほどのことがない限り、鳴川の身が脅かされる心配はなかった。そして、佐崎の身の安全も。

午後になると街宣車は退散し、周囲はようやく静けさを取り戻した。問題は党本部を出てからだった。だが、臨海副都心の建設事務所ビルは、地下が駐車場になっているという。車から降りる際の狙撃は、事実上不可能だった。

佐崎はそれを知り、胸をなでおろした。建設事務所から出発するのは四時の予定で、その時間、すでに神谷は幕張の講演会場へ向かっていなくてはならない。危険はもうない。少なくとも今日は……。

だが、これから毎日、緊張と重圧と、それとは別のもうひとつの恐怖に立ち向かわなければならない。

いつまで耐えられるだろうか。自信がぐらぐらと揺れ続けている。自分がつぶれる前に、神谷にぶつかってみるしかなさそうだった。

10

二千人収容の大ホールは、ほぼ満員になっていた。各マスコミで話題の主となった感のある大物代議士の登場とあっては、集客のために党関係者が走り回る必要はなかっただろう。

地下にある控室から、舞台裏の通路を通り、舞台へ上がった。佐崎たちに守られた鳴川が壇上に姿を見せると、盛大な拍手が出迎えた。鳴川はそれに応えて軽く手を振ると、演壇の上手に並べられた控え席に腰を落ち着けた。

そのすぐ横に、神谷剛史が防弾アタッシェケースを手にして待ち受けていた。

これ以降、身辺警護は佐崎たち三班から、神谷の率いる一班にバトンが託される。

舞台右袖の階段から、客席へ下りた。佐崎たちには、まだこの場に残り、会場警備にあたる任務が残されていた。舞台に向かって右の客席前。それが佐崎に任された持ち場である。

ホールを埋める聴衆に向き合い、警備についた。

一昨年に発生した副総裁襲撃事件までは、市民に威圧感を与えないよう、背を向けての「背面警備」がほとんどだった。その隙をつかれた教訓から、現在では、聴衆に向き合う形での「対面警備」へと全面的に変えられている。体裁や面目より、さらなる安全を図るためである。確実に日本も、危機管理への取り組みを迫られる状況になりつつある――その証拠でもあった。

会場前では、金属探知機を使用し、全入場者の持ち物検査を行っていた。凶器はまず持ち込めない。起こり得る事態としては、投石、殴打、放火、が考えられたが、いずれも、暴漢を舞台に寄せつけなければ、VIPへの被害は食い止められる。

客席に目を配りながらも、佐崎は背中が気になってならなかった。

背後の舞台に、神谷がいる。その神谷に、自分は今、背を向けていた。

彼が何を考え、姉のもとを訪れたのかは分からなかった。こちらがまともに尋ねたところで、一笑にふされるのが落ちだろう。だが、もし仮に大橋の命を狙ったのが神谷だったとするならば、目つきや仕草や表情のどこかに、ほんの些細な反応が出るのではないか。人の心を持つ限り、誰にでもわずかな動揺はある。それをこの目で見届けたい。

佐崎の任務は、あと一時間ほどで終わる。その後も、神谷の任務は深夜まで続く。彼にぶつかるとすれば、そのあとだろう。警護課に戻るところを、待ち受けたほうがいいだろうか。

拍手が起こり、最初に挨拶に立った男が一礼した。続いて、司会が、鳴川の名を高らかに告げた。

一際、盛大な拍手が沸き起こった。鳴川が舞台の袖《そで》からゆっくりと歩み出た。その後ろを、影のようについて、神谷が移動する。

「佐崎。右手前方だ」

受令機からの声に、慌てて客席を振り返った。自分の役目は客席の監視で、舞台の神谷を見やることではない。

「十四、五列目で、立ち上がろうとしている男がいる」

やや右手、中央の通路から十メートルほど離れた辺りだった。のそりと中腰になって頭をもたげた人物がいた。年は三十歳前後か。黒ぶち眼鏡をかけ、妙に痩せて頬骨の出た男だった。

男は中腰のまま右隣の女性の前で、失礼、とばかりに手を差し出し、軽く頭を下げた。通路へ向かって横歩きに進んで行く。

佐崎は素早く腕時計に目をやった。講演会が始まって、まだ二十分と経っていない。トイレへ立つにしては、少しばかり早すぎるように思えた。

上の音響調整室にいる指令も同じ意見のようだった。

「目を離すな、佐崎」

男の動きに合わせ、佐崎も舞台の前を左に移動した。

男がちらりとこちらへ顔を向けた。間違いない。男は確かに自分を見た。動きを盗み見るかのように、横目で探った。自分が私服の警官だというのは、誰が見ても分かるだろう。その動きをそれとなく確認するとは……。

心なしか男の動きが早くなったように感じられた。中央通路へ向けて、客席の間を横歩きで移動して行く。

「挙動不審者がいる。二班の各員は舞台前に移動しろ」

受令機からの指令が出された時だった。

男がすっくと腰を伸ばして立った。聴衆たちの間に、男の上半身だけが突き出した。通路から三番目の席の前だった。

男の手が、腰から上へと素早く上がる。

「Vを下げろ！」

受令機が叫んだ。その瞬間、佐崎の耳から会場の拍手がかき消えた。男の手に握られていたものが、拡大写真のように一気に目に飛び込んできた。

拳銃だった。

男の前に飛び出すのだ。身を投げ出してでも鳴川を守れ。

そう叫ぶ声が胸の中にありながら、佐崎はその場から動けなかった。男の前に身を投げ出せば、舞台から格好の的となる。そんな思いが、一瞬のうちに頭をよぎったからだった。

警護課員はブローニングを携帯している。過去にそれを使用した者は一人もいない。だが、神谷が使用しないとの保証は――。

次の瞬間、男の手にした銃が、甲高《かんだか》い破裂音とともに火を吹いた。

音に、体が勝手に反応していた。佐崎は男めがけてホールの床を蹴っていた。

再び銃口が火を吹き、男の手が反動で跳ね上がる。左肩を強かに殴られたような衝撃が襲った。が、それでも足の動きは止めなかった。肩を気にしている暇はない。視線は男の手の銃口しか捕らえていなかった。自由の利く右手を前に突き出し、通路を駆けた。銃口めがけ、客席を越えて男に飛びかかった。

男がのけぞる。どこかで叫び声が上がった。体当たりを食らわせながら、男の腕を、手の中の銃を、わしづかみにする。銃口を自分の体でさえぎるようにして、男と揉《も》み合い、客席の上に押し倒す。

背中から誰かが突進して来た。振り返らなくても分かる。仲間の課員だ。次々と背中からのしかかられ、佐崎も身動きが取れなくなった。後ろの客席からも誰かの手が伸びて来た。耳元で喘《あえ》ぎと怒声が交錯する。

「銃だ。銃を奪え！」

「座席に押さえつけろ。早く、手錠だ」

「かつぎ上げて、通路へ出せ！」

佐崎は男の体に組みついたまま、通路へ引きずり出された。同時に、課員たちが男の上に群がった。

「もういい、放せ。佐崎、放すんだ」

誰かに声をかけられ、佐崎は男の胸元から引きはがされた。そこでようやく、騒然とした場内の音が甦ってきた。平静を呼びかけるマイクの音。どよめきと叫びの中、警官たちの怒鳴り声が続いている。

「Vは……」

佐崎は横に立つ課員に尋ねながら、上体を起こそうとした。左手に力が入らず、倒れそうになる。

「大丈夫だ。Vは無事だ。——神谷警部が盾になった」

「警部が……」

「おまえこそ大丈夫か。立てるか」

肩を貸され、立ち上がった。左の肩が、切りつけられたように痛んでいる。

自分の傷に目をやるより先に、佐崎は痛みをこらえながら、壇上を振り返った。警護課員に囲まれた中、支えられて立つ鳴川の青ざめた顔が見えた。動転し、意味もなく動き回る秘書たちの姿があった。神谷の姿はどこにもない。

「行くぞ。裏に救急車を待機させてある。警部もすでに運ばれた」

「警部の傷は」

「分からん。さあ、こっちだ」

脇から支えられて通路を歩いた。壇上の階段から非常口へと、神谷のものと思われる鮮血の跡が点々と続いていた。

通用口から駐車場に出ると、万一に備えていた救急車が、すでにエンジンを回し、待ち受けていた。ちょうど、担架《たんか》に乗せられた神谷が救急隊員の手により収容されるところだった。

「こっちも頼む」

隊員に左右を取られ、佐崎も救急車のドアをくぐった。

担架の上に、横たわる神谷の姿があった。荒く息をつき、歯を食いしばって苦痛に耐えている。呻《うめ》きとともに、左足が痙攣《けいれん》のように震え出した。銃弾は下腹部を襲ったらしく、押さえる神谷の手が赤く血に染まっていた。

救急隊員が神谷に取りつき、スーツと防弾チョッキに鋏《はさみ》を入れた。傷の確認のためだろう。別の隊員が担架の下からボックスを引き出し、輸血の準備を始める。運転手が振り返って叫んだ。

「行きます！」

サイレンを鳴らし、救急車が発進した。その震動で、神谷の呻きが大きくなる。

佐崎は向かいの担架の上に腰を下ろした。

「警部……」

呼びかけると、神谷は辛うじて薄目を開けた。佐崎だと分かったようだ。こちらを見て、かすかに頷き返した。

「Vは……無事だ、な……」

苦痛に苛《さいな》まれながらも、神谷は守るべき人物の安否を真っ先に尋ねた。自分の怪我より、要人の生命。たとえ自分が銃弾に倒れようとも、SPとしての務めを忘れはしない。

大橋と同じだった。この神谷も、大橋と同じく、SPとしての習性がどうしようもなく染みついている。

それを自分は……。誇り高き警護課員の一人だった。

「すみません、警部。私が……男に向かうのが、遅れたばかりに」

「いいんだ……」

神谷が頬を震わせ、かすかに首を振った。

「しかし、自分は――」

「おまえのせいじゃ、ない……」

振り絞るようにして言う神谷の首筋に、びっしりと脂汗が浮かび上がっていた。

「静かに願います」

神谷の脈を取ろうとした救急隊員がやんわりとたしなめてきた。だが、佐崎は言わずにはいられなかった。

「しかし、私は……私は警部にばかり気を取られ、それで男に向かうのが……」

神谷の顔が苦痛にゆがんだ。目を見開き、佐崎を見つめた。

「私は……先日の狙撃を、鳴川ではなく、義兄を狙ったものだと……」

「よせ」

神谷が再び首を振った。

「しかし、私は警部を――」

「違う、そうじゃないんだ……」

神谷が呻くように言い、鮮血に染まった左手を振り上げた。そのまま、窓の下を激しく打ちすえた。こすれた手の跡が、救急車の内壁に真っ赤な血の模様を描いた。

「俺が、撃ったも同じだ」

確かにそう聞こえた。佐崎は苦しそうにゆがむ神谷の横顔を見つめ返した。救急隊員までが、応急処置のための腕を止め、神谷を見つめていた。

「警部……」

「俺は、鳴川が脅迫を受けていることを知り、あえてあいつを盾にした。あいつなら……たとえ銃弾にも、向かって行く……」

「もうそれ以上は話さないで」

押しとどめようとした隊員の腕を、神谷は血にまみれた手で振り払った。担架の横の壁を、なおもたたきながら続けた。

「あいつは何もかも知っていた。知りながらあいつは……」

大橋が、姉と神谷のことを知っていた――。すべてを知りながら、大橋は姉を選び、伴侶《はんりょ》としたのだった。

佐崎は言葉を返せなかった。

鳴川を狙撃したのは、もちろん神谷ではない。それは当然で、佐崎の思い描いたくだらない妄想にすぎなかった。しかし神谷は、大橋への殺意を胸にひめていた。大橋の身に危険が及ぶことを心のどこかで願いながら、最も危険な位置に――ＶＩＰに何かあれば、身を挺して守らなければならない位置に——あえて大橋をつけたのだ。

「あいつの目が……あの勝ち誇ったような目が……」

神谷の手が、苦しげに何度も壁をたたいた。赤く染まった手の跡が、忌《い》まわしい染みのように広がっていく。

「だから……だから……」

「動かないでください。まだ出血してるんですよ」

隊員が組みつくようにして、神谷を押さえつけた。それでも神谷は血に染まった手を、苦しげにたたきつけた。

「だから、俺はあいつを……あいつを……」

神谷の嗚咽《おえつ》のような呻きが、いつまでも車内に響き渡った。

11

神谷の受けた傷は急所を外れていた。運び込まれた駅近くの救急病院で、弾丸摘出の手術を受け、三時間後に集中治療室へ運ばれた。

佐崎の左肩の銃創は、骨をそれて貫通しており、多少の傷痕《きずあと》は残るだろうが、簡単なリハビリで機能回復ははかれるだろう、と医師は言った。

佐崎は治療を終えたあとも、しばらくは病院に残っていた。だが、いくら待っても、神谷の妻が駆けつけて来ることはなかった。

もともと来られる状態になかったのだ。その事実を佐崎は、遅れて病院にやって来た管理官の口から聞かされた。

二年前も現在も、神谷の妻は、富士見町の警察病院に入院中だったのである。

それで初めて、佐崎には頷けるものがあった。課員の中、神谷だけがシフト通りに休日を消化していた理由。二年前、自分が警察病院に入院した時、あれほど頻繁に見舞いに訪れた理由。人に世話をやかずにはいられない姉が、妻のある神谷に惹《ひ》かれてしまった理由。

そして、神谷が藤枝の病院の姉のもとを訪れた理由……。

佐崎の想像にすぎなかったが、おそらくそう違ってはいないだろう、と考えている。

あれは、謝罪のためではなかったろうか。大橋を危険な位置にさらしながらも、まさか本当に犠牲になるとは……。だからこそ、勤務の時間を縫って、姉のもとへ一言謝罪するために向かったのではないか。

だが、それを正直に告げたのでは、自分のひそめた殺意を姉に伝えることになる。だから、神谷は廊下の先で、ただ立っているしかなかったのではないか。

その証拠が、大橋の代わりとして、身辺警護班に加わったことである。

自分が身を投げ出すことで、大橋と同じ立場になろうと神谷は考えたのだ。自分の体で銃弾を受け止めることで——。

誠実なだけが取柄で、おそらくは警部補止まりだろうと思われる大橋と、警察内で将来を約束されたも同然の神谷。二人を比べてみてもあまり意味はないだろう。だが、どんな優れた腕と経験を持ち、将来を嘱望された者であっても、人は仕事だけを糧《かて》に生きてはいけない。

鳴川を撃とうとした男の身元については、その日のうちに判明した。住所不定、無職の三十三歳。

自供を信じるなら、男は最初に鳴川邸へ投げ入れられた火炎びんとは無関係だった。狙撃に使用したライフルと拳銃は、ある暴力団関係者から入手したものだという。

何者かが火炎びんを投げ入れたことにより、鳴川への警護は厚みを増した。そのために犯人は、ライフルの使用を考えたのだ。しかし、遠方からの狙撃では、やはり確実性に欠けた。そこで、今回の短銃による襲撃へと作戦を変えたのだという。

会場への銃の持ち込み方法は、他に二人の共犯者を使い、計三台のカメラを利用したものだった。一眼レフのカメラを改造し、中のシャッター類などの機械部分をくりぬき、その分の容積を増やしておく。そこに、分解した銃を入れ、三人の仲間で分散して、会場内へ持ち込んだのだった。銃の組み直しは、トイレの個室の中で行ったという。

確かにこの方法を採れば、金属探知機もパスできた。機械がカメラに反応したところで、中を明けてフィルムまで見せろ、とまでは警備側も言えなかった。現在、共犯者として、二名の仲間を指名手配中だった。

殺害を企てた動機については、ゼネコン事件の渦中にいながら、逮捕を免れようと悪あがきをする鳴川に天誅《てんちゅう》を加えるため、と自供していた。それ以外の裏の事情があるかどうかは、今後の取り調べにかかっていそうだ。だが、どんな裏事情があったとしても、彼らが口を割る可能性は少ないように思われた。刑を終えて出て来ると同時に、別の場所に送られないとの保証はない。

今回の一連の事件により、警護課では、要人警護の在り方について、あらたな問題点を突きつけられた。日本に密輸される拳銃の数は、増加の一途をたどっている。要人に対するテロ行為は、今後一層、武装化をたどるだろうと予想される。その中でSPは、今後もVIPの身を守っていかなくてはならなかった。少なくともはっきりしていることが、ひとつだけある。今後、警護課員にかかる重圧は一層増し、危険度も高くなるに違いない、ということだ。

事件の翌日、佐崎が任務から解放されてアパートへ戻ると、留守番電話に二件のメッセージが残されていた。

ひとつは姉からだった。

「おかげ様でようやく退院の許可が下りました。昨日、課長さんがこちらに見えられて、警護課から警備二課への異動が告げられました。本人は残念がっていましたが、リハビリのこともあるので、諦めてもらうしかありません。あとは、あんたです。そろそろあたしも、子守役から引退したいので、はやく誰かを見つけなさい。……そうそう。退院したら、さっそくあんたを呼ぼうと大橋が言ってました。あたしが腕をふるって料理を作るから、覚悟しておくように」

大橋が警備二課へ異動する。これで姉は、夫のために、無事を祈る時間は少なくなりそうだった。

もうひとつは、向井恵美子からだった。

「別に用があったわけではありません。また電話します」

いつも通りのそっけないメッセージだった。

その場に夕刊を放り投げると、佐崎は時計を見上げた。今日は珍しく、まだ十二時を五分ほどしか回っていない。

佐崎はネクタイをゆるめながら、受話器を取った。

相（バディ）棒

1

潜る前から嫌な予感があった。首の後ろが強張ったようになり、このところの睡眠不足が重く体に残っていた。頭の中も、とてもクリアな状態とはほど遠かった。

昼と夜。海とプール。余暇のダイビングと潜水訓練。条件はあまりにも違っていたが、潜る行為に変わりはなかった。タンクを背負い、レギュレーターを口にすれば、嫌でも三日前の由美《ゆみ》の姿を思い出すことになる。それは最初から予想していた。

第三管区海上保安本部に近い、ある飛び込み用プールを借りての夜間潜水訓練の最中だった。何も知らない二人の新人が暗いプールの底へ向かい、そのあとに続いて私と小谷《こたに》が潜行した。

午後八時。辺りの照明をすべて落とした夜のプールは、深海のような暗さの中にあった。その底で、新人たちの手にしたハロゲンライトの明かりが右に左に揺れていた。水深五メートル。彼らが背負ったタンクには、五百リットルのエアしか入っていない。もって十五分。

その時間内に、彼らは暗いプールの底に沈められた五本のボンベを探し出し、ロープでひとまとめにしなければならなかった。夜間の水中でロープを思うように操《あやっ》る訓練。二人にはそう告げてあった。が、真の目的は別にある。

遅れて私と小谷が潜って行くことは、あらかじめ二人に知らせてはいない。暗いプールの底では、よほど周囲に気を配っていないと、上から近づこうとする者に気づけはしなかった。

二人のライトは、先ほどからあまり動いていない。もう五本のボンベを集め終わったのだろう。タイムはまだ五分二十秒。なかなかの成績優秀者だ。が、次の本当の訓練はどうだろうか。

揺れるライトの上に接近した。明かりを受けて闇に二人の姿が映える。私は距離を測ると、手にしていたネットを彼らに向けて放った。

ゆらゆらと網が手足を広げ、二人の頭上に落ちて行く。一人が気づいた時にはもう遅かった。顔を振り上げようとした彼の全身を、すっぽりとネットが覆っていた。

予想外の出来事に、若い二人は無闇《むやみ》に手足をばたつかせた。だが、もがけばもがくほど、網は身につけた潜水器材にからんでいく。

水中では、一瞬の判断の遅れが死にもつながる。どんな事態が起ころうとも、冷静沈着な行動が要求される。突然襲った危機に対し、パニックを起こすことなく、二人一組のバディで乗り切る。通称、妨害排除訓練。海上保安庁の特殊救難隊に配属された者なら、誰もがさけては通れない、通過儀礼とも言える訓練だった。

過去に何人の隊員が溺《おぼ》れかけたか分からなかった。四年前にこの訓練の洗礼を受けた時、私も慌てふためき、もう少しでエア切れを起こすところだった。そのため、それら万一の事態に備え、妨害行為を受け持つ隊員は近くに待機し、彼らを見守る。もしバディを置いて水面に上がろうとする者があれば、二人がかりで容赦《ようしゃ》なく水中に引き留める。私は小谷とともに二メートルほど頭上で並び、苦闘を続ける彼らの様子を見つめていた。

二人は必死になって網から逃れようとしている。パニックを起こしかけたのか、一人の口からレギュレーターが外れた。暗い水中に、ライトを受けた気泡のきらめきが、一挙にあふれ出した。

その瞬間、私は軽い目眩《めまい》に襲われた。

彼らと違って、こちらにはたっぷりとタンクにエアを充塡《じゆうてん》してある。エア切れを起こし、息が詰まったわけではなかった。

そこに私は、三日前の由美を見ていた。目の前でレギュレーターを吐き出し、暗い目で私を見つめてきたあの時の由美の姿を――。

小谷に肩をたたかれた。危険を察し、二人のもとへ降下しよう、と彼がサインを送ってくる。

それでも私は、しばらくその場から動くことができなかった。

訓練を終えて明るくなったプールサイドで器材をまとめていると、川端忠雄《かわばたただお》が後ろからそっと声をかけてきた。

「おい、長瀬《ながせ》。ちょっといいかな」

隠し事の嫌いな川端が、人目をはばかるように囁きかけてくることはあまりない。それで私には、自分がどうして呼び止められたのかが、分かったような気がした。

「おまえ、小谷のサインを無視して、二人を助けようとしなかったそうだな」

やはりそのことだった。小谷のやつめ。早速、隊長にご注進か。

「サインが見えなかったわけじゃないよな」

川端が訊く。件《くだん》の二人の新人は、小谷の手助けを受け、どうにかエア切れの寸前に水面までたどり着いていた。

それとなく川端から目をそらして言った。

「私は小谷と違って、後輩たちを千尋《せんじん》の谷へ突き落としてかわいがるタイプなんです」

「だったら、どうして水から上がって来た時、あんな怖い顔をしていた」

とっさに川端へ視線を返した。まさか、顔にまで表れていたとは思わなかった。

「どちらがパニックを起こしたのか分からない顔つきだったぞ。何があった」

私は時間稼ぎに、首にかけたタオルで濡れた頭を念入りにぬぐった。

「あれしきのことでパニックを起こすようなやつらに、やがては追い越されるのかと思ったら、無性に腹立たしくなってきたんですよ」

今日の二人は海上保安大学校出身——いわば幹部の卵だった。今後よほどの失敗を犯さない限り、すぐに私を追い越し、管理職になっていく。

「おまえが昇進を気にするようなたまか」

「ですが、正直な感想です」

「ごまかすな。何度一緒に組んで潜ってきたと思っている。おまえがそんなちまちましたやつだったら、こっちからバディなんて願い下げで、専門官にすぐ文句を言っていたさ」

四年前に配属されて以来、その半分以上を川端と同じ隊で過ごしていた。その間、何度一緒に組んで海難者の救助に向かったか分からなかった。気心は知れていた。そんな川端の目をごまかすことは難しい。

「何があった？」

「少し疲れていただけです」

「女のことか？」

「——いえ」

「それにしては、相変わらず噂だけは聞こえてくるぞ」

言いたいやつには言わせておくだけだった。人の噂を気にしても始まらない。黙っていると、川端は鼻から息を吐き、小さく笑った。

「言いたくないなら、かまわないさ。けどな、ふらふらといつまでもあちこち漂ってるのも楽しいが、自分に合った水深を見つけ、そこでの景色をじっくりと眺めてみるってのもいいもんなんだぞ」

彼はいつもウェットスーツの内懐《うちぶところ》にまで、家族の写真をはさみ込んでいる。それを隊員に披露《ひろう》してはばからない男だった。

「おい、バディを見つけたら、必ず俺に報告しろよな。命令だぞ、これは」

何度一緒に潜ったバディにも、打ち明けられない理由が私にはあった。

2

「お願い。一度でいいからあなたと一緒に、海の中を潜ってみたいの」

そう由美から切り出された時に、あるいは気づくべきだったかもしれない。その時の彼女の口調には、いつになく思い詰めた雰囲気があった。それを私は、最後の願いだから、と理解していた。

——海の中を案内してやる。

それは、由美と知り合うようになって以来、何度言ったか分からない私の口癖のような言葉だった。いや、どんな女性に対しても、私は同じようなことを言い続けていた。そして、一度としてその約束を果たしてこなかった。

特殊救難隊という仕事柄、いつ緊急出動がかかるか分からなかった。反復潜水をすれば、血液中の窒素濃度が高まり、潜水できる時間が制限されてくる。それをさけるためにも、趣味で行うダイビングには、充分な時間の管理と注意が必要だった。

それに、訓練や出動で絶えず水中へ潜りながら、たまの休暇までダイビングを楽しむような気にはなれなかった。要するに私は、自分の仕事を、女を口説《くど》く手段のひとつとして使っていたにすぎない。

男なら誰しも、そんな方法を取ることがある。たぶん女も同じようなものだろう。多少の気取りと心組みで、男は女に、女は男に向かっている。私と由美の間も同じだった。

田村由美は、南仲通《みなみなかどおり》にある「マリブ」という小さなバーのカウンターの中にいた。舵輪を模した時計とヨットの写真が飾ってあるだけの素っ気ない店に似合った、目立たない女だった。

最初は物静かなマスターの教えなのか、と思った。いつも彼女は客の話に立ち入ることなく、グラスを磨きながら小さく微笑んでばかりいた。学生時代の仲間と三度目にその店を訪れ、やっとそこに女性がいたと気づけたほどだった。

きっかけは他愛もない。彼女が趣味でダイビングをしていると聞き、私は自分の職業をほのめかし、いつもの言葉をかけたのだった。

「よかったら今度、海の中を案内してやるよ」

それから三年、その言葉は三日前まで果たされることはなかった。

三年間もよく持ったものだ、という驚きが私にはなくもなかったが、それは由美の性格に負うところが大きかったろう。彼女は私に何も求めなかった。言葉も物も約束も。そんな代価を男に求めてしまい、過去に手酷い経験をしたかのようにも思えたが、私は由美に何も訊かなかったし、そんなことに興味もなかった。私たちは互いを束縛することなく三年の時を過ごし、その間、将来はおろか一切の約束を交わさなかった。私が最初に口にした、海の中を案内する、という言葉以外には。

おそらく、私の気持ちが離れかけていたことは、彼女も分かっていたはずだろう。私はこの三ヵ月というもの、どうやって由美にそれを告げようかと思案していた。

別に由美を疎《うと》ましく思うようになったわけではない。私の前にもう一人の魅力的な女性が現れ、冷静に見つめ直してその答えを出したまでだった。なぜなら、二人の女性を同時に選ぶことはできないからで、それ以外に由美を選ばなかった深い理由はない。

そんな事情を彼女も察したからこそ、その言葉が出てきたのだ、と私は理解した。これが最後の願いなのだ。あとはすっぱり別れてあげる。そう彼女から切り出してきたのだと思い、私はその願いを聞き入れた。

事実、最後の願いには違いなかった。

当直、待機、訓練、休暇と、特殊救難隊では四チームでローテーションを組んでいた。休暇を取る場合にも、よほどのことがない限り、そのローテーションを崩すわけにはいかない。あまり遠出はできなかった。それでもいい、と由美は言った。

夜間訓練の前に設けられていた二日間の公休を、私は由美とのたった一度だけの——そして最後の約束を果たすために当てた。

場所は、西伊豆。堂ヶ島に宿を取り、その周辺にあるダイビングスポットを二人で潜る計画だった。

由美の様子は、普段とまったく同じに見えた。カウンターの中で、いつも由美は静かに微笑んでいた。私と二人の時も、それはほとんど変わらなかった。私との最後の時をできるだけ楽しもうと、あえてはしゃぎ回るような素振りも見せなかった。

二日目の午後。私たちはプレジャーボートを借り切り、田子湾沖に点在する小島まで足を伸ばした。そこで最後のダイビングを行った。

岩場に隠れる伊勢海老を見つけ、銀色に鱗《うろこ》を輝かせるイワシの大群に囲まれた。群生するイソバナの森を越え、イソギンチャクをつつくミノカサゴの姿を写真に収めた。

タンクのエアの残量が気にかかり、そろそろ浮上に移ろうと、由美にハンドサインを送った——その時だった。

ふいに彼女が、マスクを払った。その拍子に、後ろでまとめていた髪が水中に躍った。そして由美は私を見つめ、レギュレーターのマウスピースを口から離したのだった。

保安学校を卒業以来、八年以上も潜水士を続けていたが、あの時ほど水中で驚いたことはない。ダイバーが自らレギュレーターを捨て去るなど、見たことはもちろん、聞いたこともなかった。

由美は肺の中に残っていたエアを吐きながら、ゆっくりと海底へ沈んで行った。私をじっと見つめ、その頰にかすかな笑みさえ浮かべながら。

その姿を、どれだけ見つめていたかは分からない。私は我に返り、フィンを蹴って彼女のもとへ泳ぎ寄った。

よほど動転していたのだろう。私は自分のレギュレーターを外し、彼女の口にくわえさせようとした。ひとつのタンクのエアを交互に呼吸し合う、バディ・ブリージングに移ろうとしたのだ。それが、エア切れを起こしたバディを助けるための、誰もが思いつく方法だったからだ。だが、自らレギュレーターを捨てた者が、差し出されたエアを吸おうとするはずはなかった。

私は、ぐったりとした由美の体を抱きかかえ、水面に向かって急浮上した。減圧停止や気道の確保など、浮上する際の注意事項を気にかけているゆとりはなかった。

水面へ浮上すると、私はプレジャーボートに向かって力の限り泳いだ。船長の手を借りて由美を甲板に引き上げ、直ちに人工呼吸を行った。

どれだけ続けていただろうか。私には一時間にも二時間にも思われたが、そう長くはなかったかもしれない。透き通るほど蒼白になった由美の顔に一瞬、赤みが差した。

やがて、彼女は激しく咳込むと、飲み込んでいた海水をむせ返るように吐き出した。

ボートハウスにたどり着くと、すでに救急車の手配がされており、私たちは最寄りの救急病院へ運ばれた。命に別状はないとは分かっていたが、急浮上による体への影響が考えられた。

病院で状況を説明すると、私は医師の指示により診察室の外へ出された。

とりあえず着替えを入れたバッグだけは、ボートハウスの職員が気を回し、私に持たせてくれていた。迷惑をかけた船長や職員に電話をかけて何度も礼を述べると、私は廊下の奥まった隅を借り、ようやくジャケットへ着替えをすませた。

濡れた頭をタオルでぬぐい、看護婦さんが持ってきてくれたパイプ椅子に腰をおろし、しばらくそこに座っていた。

落ち着きが戻ると同時に、どうしようもない腹立たしさが、腹の底からこみ上げてきた。

由美は最初から死ぬつもりなどなかったのだ。そうとしか思えなかった。

私は海上保安庁の特殊救難隊に勤めている。海難事故に遭った者の救助を任務にしており、そのために過酷な訓練を積んできているのは、由美が誰よりもよく知っていた。そんなプロのレスキュー隊員の前で、レギュレーターを外して溺れるという自殺の方法が、成功するはずはなかった。本当に死ぬつもりでいたのなら、別の方法を選ぶべきであり、由美ならそのくらいのことは見当がついて当然だった。

そう考えると、人工呼吸をして息を取り戻したというのも、あるいは演技だったのではないか、そうも思えてきてならなかった。

見え透いた自殺の演技――。

そんなことで、由美は私を引き留めようと考えたのだ。

着替えをすませて廊下の奥を出ると、由美の診察は終わっていた。看護婦の話では、すでに意識はしっかりしていたが、念のために入院したほうがいいだろうとの判断が下され、三階の病室に移されたという。

医師から詳しい容体を聞く前に、早く顔を見せてやったほうがいい。あなたの顔を見れば、患者も落ち着く。事情を知らない看護婦にそう言われ、私は病室へ連れて行かれた。

狭苦しい大部屋の端のベッドで、由美は天井を見つめていた。毛布から出された左の腕に、点滴剤の管が伸びていた。その腕が心なしか細く見えたのは、たぶん私の感傷だったろう。

「気分はどうだ」

看護婦が立ち去ると、私は当たり障りのない言葉をかけた。由美は私と視線を合わせようとしなかった。

やがて、か細い声で小さく言った。

「ごめんね、みっともない真似をして……」

「謝るようなことをしたとの自覚はあるわけだな」

天井を見つめたまま、由美は力なく頷いた。

「海を案内する以外に、約束したことがあったら教えてほしいな」

冷たい言い方であるのは分かっていた。だが、こんな、なりふりかまわない引き留め方をするような女だとは思っていなかった。その反動が口をついて出ていた。

由美はたっぷり一分近く黙っていた。それから、枕に顔を埋めるようにして横を向いた。

「ないわよ。あなたと約束したことなんて……何ひとつとしてね」

「悪いが、明日は〝待機〟なんだ。どうしても今日中に官舎まで戻らないといけない。あとのことは、横浜に帰ってから話そう」

由美は何も答えず、私に背を向け続けた。それ以上、私たちの間に交わせる言葉はなかった。

病室を出て、医師からあらためて由美の容体を聞くために、教えられた診察準備室のドアをたたいた。

医師は無表情に私に告げた。

「幸いなことに、適切な処置が素早く取られたようなので、肺や気管への影響は見られませんでした。減圧症の心配もないでしょう。ですが――」

そこで医師は少しだけ伏し目がちになり、首を振って言った。

「残念ですが、お腹のお子さんのほうは……」

子供が、いた――？

その時の私は、どんな表情を作っていただろうか。たぶん、驚きよりも、恐怖に近いものが浮かんでいたのではないだろうか。医師はまだ何か由美とそのお腹の子への処置について説明していたが、私はその内容をほとんど聞いていなかった。

ようやく私は由美の真意を理解していた。彼女は私を引き留めようとして、あんな自殺の真似をしたのではない。あれは、演技ではなかった。実際に、彼女は私の前で死ぬつもりだったのだ。

私を引き留めようとするのが目的ならば、真っ先に子供のことを打ち明けるのが普通だった。なのに彼女は、その事実を隠したまま、ただ私と海に潜りたいと願い出た。

間違いない。由美は、私が仕事場としている海の中で、自らの命を絶とうとしたのだ。

海上保安庁の仕事を続ける限り、私はこれからも幾度となく海へ出て行く。そんな海の中で——それも目の前で命を落とされれば、私は潜るたびに、嫌でも由美の死を思い出すことになる。彼女はそうやって、自分の最後の姿を私の胸に深く刻みつけておこう、と考えたのだ。

復讐も同じだった。

そんな態度に出たことを恨めしく思わないでもなかったが、無論、私にそれを非難できるはずもなかった。

せめてその一日ぐらいは彼女のそばにいてやろうと思ったのだが、個人的な事情で、隊の仲間に迷惑はかけられなかった。私が官舎に戻らない場合は、誰か代わりの者が〝待機〟に入らざるを得ない。それを気安く頼める者が、私にはいなかった。

医師と看護婦に、今日のことが事故ではなかったと正直に打ち明けた。できるだけ彼女の様子を気にかけて見てもらえないだろうか。そう頼み込み、心苦しさを残しつつ私は夜遅くに官舎へ戻った。

不安は当たった。

翌日、心配になって昼前に病院へ電話を入れると、彼女は一人で逃げるように退院していた。

すぐに由美のマンションへ電話を入れた。どれほど呼び出し音を鳴らし続けても、受話器は取り上げられなかった。夜になって「マリブ」へも連絡したが、やはり彼女は出ていなかった。

当直隊が出動となれば、代わりに待機隊が基地に詰める決まりになっていた。だが、私は隊長に無断で官舎を飛び出した。

何を思って由美のマンションに向かったのかは覚えていない。彼女を前に、どんな言葉がかけられるのか。その場しのぎを口にしてすむことではないし、かといって、私には由美を受け止める度量も勇気も持ち合わせていなかった。それでも私は彼女のマンションに車を走らせた。あるいは、義務や責任といった言葉に近いものに縛《しば》られての行動だったかもしれない。

由美は一度マンションに帰って来ていた。管理人のもとへ顔を出し、部屋に残った家具を処分してほしいと言い残し、出て行ったという。それから今日まで、由美の行方は分かっていない。

結果的に、由美の自殺は失敗に終わっていた。が、その本来の目的は遂げられたといっていいのかもしれない。

こうして私は、訓練の最中に、思うように水の中で動くことができなかったのだから。ネットをかけられてもがく新人隊員を見つめ、そこに由美の姿を重ね合わせていたのだから。

彼女は、私の胸に、二度とかき消すことのできない自分の姿を焼きつけたのだ。

3

一週間がすぎても、由美の消息は知れなかった。「マリブ」のマスターの話では、田舎に帰ったのではないかとのことだったが、ではその肝心の田舎がどこにあるかとなると、マスターもそこまでは知らないと言った。

一度自殺に失敗した者が、あらためて部屋を引き払い、それから再び死のうとする確率は低いのではないか。私はそう何度も自分に納得させようとした。それでも毎日、朝刊が配達されるとともに、おそるおそる頁《ページ》をめくり、三面記事を眺めたりもした。が、由美らしい自殺者があったとの記事はどこにもなかった。もちろん、すべての自殺者が記事になるとは限らなかったが。

幸いにも、私の所属する隊には、一度も出動の指令はかからなかった。もし遭難者の救助のために海へ潜るようなことがあれば、どこまで対処できたか、今の私にはまったく自信がなかった。

七日目の夜、女の声で電話が入った。

「どうして電話をしてくれないの？」

甘えるような声。聞き間違えはしない。亜希子《あきこ》だった。由美の一件があって以来、彼女とのことがおろそかになっていた。

「このところ出動が続いていたんだ。ニュースを見てくれなかったのか」

そんなふうにごまかすと、亜希子は「嘘、嘘」と言いながら、くすくすと笑った。

「あなたを知ってから、私は毎日、新聞をくまなく見るようになったんだから。この一週間で、海難救助の記事なんて一度もなかった」

「すべてが記事になるんなら、少しは俺たちもやりがいが出てくるさ」

「あら、そうなの？」

「特殊救難隊は、日本の近海すべてを一手に引き受けているんだ。北海道の先で発生した小さな海難事故だったら、東京の新聞には載らない」

「何だ、損しちゃった。毎日ドキドキしながら新聞をめくって」

嘘なのは分かっていた。だが、亜希子は、そんな言葉のゲームを楽しむすべを知っている。由美とは違って。

「ねえ、明日、いつものところで」

「明日はどうかな」

「だって、あさってのローテーションは休日でしょ？」

私は驚き、亜希子に訊いた。

「どうしてそんなことまで知っている」

「電話をしたもの」

「基地にか？」

「そうよ。あなたが電話をくれないんだもの。いい？　待ってるからね」

それだけ言って、電話は切れた。


翌日は、あれから二度目の潜水訓練日に当たっていた。

場所は、通い慣れた茅ヶ崎沖の烏帽子《えぼし》岩だった。三管本部前からワゴン車で茅ヶ崎漁港へ向かい、そこから救助用の小型ボートに器材を積んで沖へ出た。

訓練内容は、通称、障害物競走。烏帽子岩近くの海底に、ロープやネットを仕掛けてコースを作り、設定した制限時間内に、二人一組でクリアしていくものだった。

「今回は妨害排除はないから、安心して潜っていいぞ」

コースを設定し終えると、波の打ち寄せる岩の上で、川端が新人たちに向かい笑ってみせた。

川端の立てた目標タイムは、十五分だった。私は半年前に配属されたばかりの宮崎とバディを組んだ。小谷、浅野組に続いて、岩の上からエントリーする。

茅ヶ崎沖は、お世辞にも視界がいいとは言えない。三日前に降った雨の影響からか、水はいつもよりさらに濁って見えた。

先日同様に、嫌な予感は絶えず胸の内に貼りついていた。だが、水への恐怖があるわけではない。それが頭をもたげて来たなら、とてもこの仕事は続けられない。

意識すればするほど体が強張ってしまうだろうと思い、私は訓練に集中しようとした。由美のことを頭から払いのけようと、必死になって障害物を越えて行った。

川端のコース設定は意地悪く、わざと海流の強い場所を選んで作られていた。この海に通い慣れていない若手は手こずるかもしれない。

心配は杞憂《きゆう》だった。バディを組んだ宮崎は、予想した以上に優秀だった。こちらが手を貸さずとも、岩場に張り巡らされたロープの間を難なく次々とクリアした。

海藻《かいそう》の中に沈められたタンクを、要救助者の代わりに見立て、それを抱えて今度は岩の間に巡らされたネットに向かった。

背負ったタンクを網目にかけると、なかなか脱出がままならなくなる。水中で仰向けの姿勢を保ち、そのまま障害をくぐり抜けて行く。

ネットから出かかったところで、宮崎が続いていないことに気がついた。三メートルほど後方で、コンソールゲージを網目にからませ、ストップしていた。

私は身を翻《ひるがえ》し、Uターンした。あまりにも初歩的なミスだった。が、ミスをしたのは、宮崎ではない。私だった。

先へ進むことばかりに気を取られていて、バディへの配慮を忘れていた。一人だけ勝手に進んでしまえば、フィンが起こす水流やその反動で、仕掛けられたネットが余計に揺れてしまう。宮崎をリードしつつも、彼の動きにもう少し気を配るべきだったのだ。

シュノーケルにエアのホース、それにタンクのバルブ類と、ダイビング器材には角張ったところや起伏が多い。一度ネットにからませてしまうと、次から次へと被害は広がる。だが、手を貸そうとする前に、宮崎は基本通りに自力でハーネスを脱ぎ、タンクにからみつく網目を外していった。私はそれを見守りながら、ネットロープをその場で持ち上げてやるだけでよかった。

海面に浮上した時は、設定した制限時間ぎりぎりになっていた。少し離れた岩場の上から、川端がＯＫサインを送ってくる。

「長瀬さん、どうして私を置いて、一人で先に行こうとしたんですか」

海面を漂いながら、宮崎がすぐに問いただしてきた。訓練後に気になったことがあれば、先輩後輩の区別なく誰にでもすぐ指摘する。それが隊内でのルールだった。危険と背中合わせの仕事だからこそ、遠慮ない意見の交換が必要になる。

「君が新人だということを忘れていた」

「私が未熟で遅かったからだと言うんですか」

宮崎は果敢に質問で返してきた。私にもそんな勇ましい時期があった。

「その逆だよ。あまりにもロープを簡単にくぐって行ったんで、ついあとの配慮がおろそかになってしまった。私のミスだ」

言い訳を返しても、宮崎が納得したようには見えなかった。だが、女のことが気にかかり、早く水から上がろうとばかり考えていたのだ、とは言えなかった。

「先日の妨害排除訓練の時も、長瀬さんは田中たちに手を貸さなかったと聞きましたが」

なるほど。それを気にしていたのか、と合点がいった。どうやら若手の間では、私がバディとして信頼感にかけるとの評判が立っているのかもしれなかった。

仲間たちの待つ岩場に向かって泳ぎ出しながら、宮崎を振り返った。

「断っておくが、いつも誰かが手を貸してくれると思ったら大間違いだぞ。たとえ、近くにバディがいてもだ」

後ろから追いかけながら宮崎が訊く。

「だったら、何のためにバディを組むんですかね」

「気休めだよ」

「気休め……」

面食らったように宮崎は私を見返した。

「いざという時に頼りにできるのは、結局のところ、自分だけだ。それは忘れないほうがいい」

バディを思いやるのはいいだろう。だが、それに引きずられて、自分まで命を落とすようなことになったのでは何もならない。また、バディを頼ってばかりいては、技術も経験も身につかなかった。

「どんなダイビングスクールだって、最近は、バディシステムによる功罪を教えているんじゃなかったかな？」

「しかし、それは、あくまでレジャーダイビングであって、我々は――」

「同じだよ。体を張ってはいるが、命までをかけているわけではない。仕事なんだ。仕事で命を落としてどうする。そんなこと、俺は御免だ」

誰にでも、将来へのささやかな夢はある。それを他人に引きずられて失いたくない、と思うのは、ごく自然な感情だった。その気持ちを責めることは誰にもできない。

だからこそ、私は由美ではなく、亜希子を選んだのだ。

「では、長瀬さんは、遭難者が目の前にいても、危険があると分かれば引き返すつもりですか」

「もちろん、最善は尽くす。しかし、それでも救助できそうにないと分かった場合には、躊《ちゅう》躇《ちょ》なく引き返す。隊の誰に聞いても、おそらく同じ答えが返ってくるさ」

「そんなものですかね」

「ああ、そんなものさ」

答え返しながら、柄《がら》にもなく胸の奥がちくりと疼《うず》いた。

4

九時に「モントレー」のドアを開けると、亜希子はもう先に来て待っていた。人を待たせるのが好きな彼女にしては、珍しいことだった。

私はいつもの薄い水割りを注文し、彼女の隣のストゥールに腰をかけた。

「明日は休日なのに、またこれなの？」

亜希子は私の前に出されたグラスを持ち上げ、どこかからかうような口調で言った。

この仕事についてから、いつのまにか体のことを真っ先に考えるようになっている。私は彼女からグラスを奪い返して言った。

「基地に電話を入れるのはやめてほしいな」

「仕事場に電話を入れて嫌がられるようになったら、もう長続きはしないんだって。友達が前に言ってたことがある」

「俺に電話をくれるのならかまわないさ。けど、匿名電話でスケジュールを聞き出すというのは、どうかな」

「あら、おかしな女から電話が入ったら困るみたいね？」

いつもなら、笑って亜希子の冗談につき合えたはずだった。それが今日は、妨害用のネットのようにからみついてくる。いや、からみついているのは、亜希子の言葉ではない。それは分かっていた。

黙っていると、亜希子は横目で私を見ながら、くすりと笑った。

「困ると思ったんだ。だからわざと電話したの。私に電話をくれなかったことへのペナルティ」

「悪かった。少し仕事のほうが忙しかった」

「それは私だって分かってるつもりよ。でも、出動中に何かあったのでは、と思いながら、毎朝新聞をめくる女の気持ちも、少しは理解してもらいたいわ」

「そこまで心配してくれるとはありがたいね」

「冗談じゃなく、言ってるんだから」

いつになく真剣な眼差しを私に向けた。グラスを両手で抱えるようにして、ふいに彼女は小声になった。

「――父も心配しているって言ってたし」

「お父さんも？」

私は口に運びかけたグラスをカウンターへ置いた。亜希子を見返す。

「そうよ。あなたのこと、父に話したの。いけなかった？」

「……いや、そんなことはないさ」

「特殊救難隊というあなたのお仕事には、父も頭が下がる思いだって言ってた。……でもね、娘の相手として見た場合には、どうしても不安が先に立ってしまうって」

「安心してほしいな。二次災害を引き起こしてまで人を助けようとは思わない」

「でも、隊の中で怪我をした人もいるって」

「多少の怪我はどうしてもついて回るさ。普通の人では救助のできない場所へ行くんだからな。けど、そのために毎日体をいじめ抜いている」

「怒らないで聞いてくれる？」

ちょっと上目遣いになって亜希子は言った。

「あなたの仕事を理解しないで言うわけじゃないの。心配だから、あえて言うんだけど……」

「だから心配は——」

言いかけた私を、亜希子は素早く首を振ってさえぎった。

「父が言うには、あなたほどの経験を持つ人なら、同じように意義のある仕事は他にいくつもあるんじゃないかって」

「他の仕事？」

「たとえば、ダイバーに危機のテクニックを教えるようなインストラクターとか」

私はまじまじと亜希子を見つめ返した。もちろん、インストラクターの仕事を軽く見るつもりは私にない。それはそれで、重要な仕事だと思っている。

「あなた、言ってたじゃないの。特殊救難隊は辛い仕事だから、五年の任期期間しか設けられてないって。それが終われば、普通の潜水士に戻るしかないんでしょ。でも、あなたのような技術を持った人が、沈んだ船の調査を手伝うような仕事をするだけなんて、もったいないとは思わない？」

特殊救難隊から、ダイバー相手のインストラクターへの転身か。さぞや快適な日々が待っているに違いない。

「辛い仕事をさせておいて、あとは潜水士に戻れなんて、そんなの、まるで使い捨てにされるみたいじゃない。もちろん、途中で隊から身を引くのは、あなたにとっては心苦しいことかもしれないけれど、人のためになる仕事を続けるんだから、決して恥じるようなことじゃないと思うのよ。父の知人に、リゾートホテルの経営に参加している人がいるんですって。その人に話せばきっと……」

亜希子はまだ何かを言っていた。

だが、彼女が思っているように、特殊救難隊への配属は、上からの命令ではなかった。例外なく、すべての隊員が自ら志願して、何十倍もの狭き門をくぐり抜けて来ているのだった。私も自らの判断で特殊救難隊への道を選択した。

私は能登《のと》に近い港町で生まれ育った。多くの漁師たちが荒海に乗り出し、時に命を落とす場面を何度も眺めてきていた。だからこそ、仕事先に海上保安庁を選んだのだ。誰から誘われたわけではなかった。保安学校で特殊救難隊の存在を知り、潜水士への道を選んだのも自分だった。そして私は、由美よりも、目の前にいるこの亜希子という女性を選んだのだ。

「大丈夫よ。あなたほどの経験があれば、超一流のインストラクターになれるに決まってる。きっと、引く手あまたよ」

由美だったら、おそらくインストラクターへの転身など、思いつくことすらなかったに違いない。つい、そんなことを考えていた。

が、今になって、亜希子と由美を比べることに意味はなかった。新しいジャケットに買い換えたあとで、昔ながらの肌になじんだジャケットが懐かしく思われることは誰にでもある。

答えはもう出したのだ。

自分自身で。

5

三日後の当直番の夜に、再び亜希子から電話が入った。

「父が会いたがっているんだけど。あなたの都合はどうかしら？」

話の先が見えてくるに従い、亜希子は急にせっかちになって事を進めようとした。それが彼女の性格なのか、それとも、私から何かを感じ取っているのだろうか。

「そう急ぐこともないじゃないか」

答えを出していながら、なぜか私は言葉を濁していた。

亜希子はくすくすと笑い出した。

「ほんと、男の人って、いざとなるとすぐ尻込みするんだから。友達が言った通りだった。でも、大丈夫よ。父はわりと物分かりのいいほうだと思うから、安心して。ねえ、いつがあいてる？」

おそらく今後は、こうしてすべて亜希子のペースで運ばれていくのだろう。そしていつのまにか、どこかのリゾートホテルのインストラクターとなり、ありふれた魚を見てははしゃぎ回るダイバーたちに、水中での注意事項を鼻高々に講釈しているのかもしれなかった。

それもいいじゃないか。そう思おうとした。亜希子は間違いなく、私の身を案じてくれているのだから。

二人で暮らすとなれば、自分の思うように進まないことが出てくるのは当然で、それが嫌なら、いつまでも一人でいればいいだけだった。考えるまでのことはない。

私は亜希子の申し出をうやむやにごまかして電話を切ると、官舎の裏庭に出た。物置小屋の前にちょっとしたスペースがあり、そこで体を動かすことができるのだ。

十五キロのダンベルを取り上げ、汗を流した。頭の中を空っぽにする。当直の日はいつ出動がかかるか分からないので、過労は禁物だったが、せめて体をいじめてやらなければ気がすまなかった。

ようやく汗がにじみ始めてきたころだった。背後で窓の開く音が聞こえ、頭上から私を呼ぶ声が降ってきた。

「そんなところにいたのか」

振り返ると、三階の窓に小谷の姿があった。彼は窓枠から身を乗り出すようにして私に叫んだ。

「何してるんだ。基地から出動がかかったぞ」

特殊救難基地は、羽田空港の北端に近い格納庫群の奥にある。私たちが基地に集合すると、すでに救難用ヘリコプターが運輸省の合同格納庫から出され、駐機場へと移動している最中だった。

「三浦沖約三キロで、横須賀船籍のバラ積み船、第三東栄丸六百トンが積み荷の急傾斜により横転、約五分後に付近の海域に沈没した。機関員他六名は、転覆と同時に船外へ飛び出し、『うらが』によって救助された。船長一人が依然行方不明で、船内に取り残されている可能性がある」

ウェットスーツに着替える横から、専門官が通信文を片手に、海難発生情報を告げる。

それを聞き、我々は必要となる救難器材を選び出した。沈没船を探すとなれば、簡易音波《ソナー》探知機は必需品だ。それに、救助用のタンクと全面マスク。夜間潜水用のハロゲンライト、水深計、油圧カッターもいるかもしれない。

「付近の海の状況は」

棚から通信機を下ろし、川端が訊く。

「まの悪いことに低気圧が近づいていて、荒れ模様だ。場所によっては風速八メートルを超えている」

「長瀬、宮崎」

川端に名前を呼ばれた。いつもなら望むところだったが、ほんの少しの気後れがあった。それを振り払い、川端を見つめ返す。

「二人は俺とともに先発隊だ。沈没船の位置を確認する。小谷、浅野。二人は救難用具をまとめて、陸路で横須賀まで移動。そこから巡視艇で急行してくれ」

その場の誰もの顔が、緊張と興奮に上気し始める。

出動だ。

暗い海に、巡視船「うらが」の明かりが見えてきた。羽田から三浦沖の現場までは、四十キロ余り。ヘリでは二十分とかからない距離だった。

「うらが」はヘリコプター搭載型の巡視船で、後甲板に発着用デッキが設けられている。そこに着陸し、我々はヘリから甲板上に降り立った。その瞬間、風の強さが実感できた。動揺軽減対策の取られている大型船が、大きくうねるように揺れていたのだ。

その甲板上で、「うらが」の乗組員たちが待っていた。真っ先に川端が尋ねる。

「沈没船の船長は?」

「まだです。やはり、船内に閉じこめられているのかもしれません」

すでに「うらが」の船上からは、波の高い海上にライトが照らされ、第三東栄丸から流れ出たと見られる燃料油の帯を発見していた。直ちに用意された救助用ボートに器材を積み替え、波のうねる夜の海へと出て行った。

同乗した「うらが」の乗組員たちにライトを照らしてもらい、油層の見える海上を丹念にソナーで探って行った。波が高いために操船が難しく、何度も辺りを往復した。五分もしないうちに、ボート上の全員が波しぶきを浴びてずぶ濡れになっていた。

船体らしき影を発見できたのは、捜索開始から四十分以上が経ってからだった。水深三十四、五メートルほどの海底に、いびつな盛り上がりがあるのを、ソナーがとらえた。

沈没船と見られる影の上を往復し、船尾に近いところから慎重に狙いをつけて、重りのついたブイを放った。これで我々の乗ったボートが波と潮に流されても、沈没した第三東栄丸を見失わずにすむ。

第一陣として、私と宮崎が潜ることになった。川端には、後発隊の到着を待ち、次の指示を与える仕事がある。揺れるボート上でタンクを背負う私たちに、川端が言った。

「まずは、ロープの先を船体の一部にくくりつけろ。それから打音反応で生存者の確認だ」

第三東栄丸が沈没してから、四時間弱。沈没の具合によっては、船内に空気の層が残っていることも予想できる。まだ船長が生存している可能性はある。

私は、救助用のタンクと全面マスクを用意しながら川端に言った。

「時間があれば、船内を捜索してみようと思うのですが」

六百トンの船ともなれば、潮の流れを受けて船体が急に動くことはないだろう。船内に入ったあとで、入り口がふさがれてしまう恐れはない。いつ沈むか分からない転覆船に乗り込むより、はるかに危険は少なかった。

川端は少し考え、それから私たちに頷き返した。

「分かった。任せよう。しかし、余裕を持って浮上に移れ。いいな」

6

五メートルも潜行すると、もう波の影響は受けなかった。私たちはブイから伸びたロープを伝い、第三東栄丸の沈んだ海底を目指し、ゆっくりと降下して行った。

水に入った一瞬——ほんのつかのまだけ——由美の姿が頭をかすめたが、すぐに記憶の底へと沈んでいった。考えてはいけない。訓練ではないのだ。三十五メートルもの海底では、頼れる者は自分以外にない。

水深三十五メートルで減圧せずに潜水していられる限界時間は、十七分だった。私たちの背負ったタンクは十四リットル、最大二百気圧でエアを詰めてある。海底で呼吸できる時間は、せいぜい二十五分ほどだろう。水面下で減圧停止の時間を取らなければならないので、その分のエアを確保するとして、実際に動けるのは二十分だ。それを超えてしまえば、今度はこちらが減圧症におびえなければならなくなる。

水深三十メートル。ハロゲンライトの視界の中に、巨大な黒い塊が見えてきた。

第三東栄丸の船体だった。ライトをめぐらし、全体像を把握する。船は左舷を下にして横倒しになっていた。辺りの海底には、積み荷と思われる箱らしき影が散乱している。

後ろに続く宮崎を振り返り、船体の後方へとライトを振った。小型貨物船のために、居住区は船体の後方に作られている。

宮崎にハンドサインを送り、さらに潜行した。ロープを結びつける作業のために、救助用のタンクをひとまず海底に置いた。船橋甲板の前で待つ宮崎のところまで引き返すと、彼が船尾のほうを指さした。ライトの明かりが、スクリューと舵《かじ》を照らし、動き回った。

宮崎が私のほうに手を突き出し、掌を下に向けて何度も手首を曲げた。それで、彼の言わんとしていることが私にも理解できた。舵の角度に注目してくれ、と言っているのだ。

　確かにそれは、少し不可解な角度だった。舵は左に、つまりは取り舵一杯と思われる急角度を示して止まっていた。

　低気圧の接近により、海上では波の高さが増している。その最中に、これほどの急な舵操作を行うものだろうか。他船をさけるために急な旋回操作をして、積み荷のバランスが崩れ、転覆してしまうケースはあった。が、そんな報告は聞いていない。

　もしかするとこれは、故意に転覆させられたものではないだろうか。

　錆の浮いた船体から、第三東栄丸が老朽船に近いことはうかがえた。あらかじめ船体と積み荷に高額の保険をかけておき、あえて波の高い海へ出て行き、故意に転覆させる。船長一人が船内から脱出できなかったと見られるのも、この舵を元に戻しておこうと最後まで操舵室に残る必要があったから――そう思えないこともなかった。とにかくこの事実は、あとで本部へ報告する必要がある。保険に関しての調査も進めてもらったほうがよさそうだった。

　船橋横のライフラインにブイから伸びたロープの先を結びつけると、私たちは船底部分へ移動した。次は生存者の確認だった。

　左臑《すね》につけた鞘《さや》からダイバーナイフを取り出し、柄《え》の先をハンマー代わりとして船底の外板を強くたたいた。

　ウェットスーツのフード越しに、耳を船体に押しつけた。横転の際に散らばった備品が、海水の流れ込みによって中を漂《ただよ》い、内壁に衝突して音を立てる。時折、小さな金属音が聞こえてくるが、生存者の打音反応と思われるような物音は聞こえなかった。

今度は三度続けてたたいた。少し休んで、さらに三度。浮遊物の立てる音と明確な区別をつけて外板をたたき、中からの反応を確認する。

かすかに、金属音が聞こえてきた。それも、三度。そして、少し休んで、さらに三度。

宮崎が位置の見当をつけるために、船底を移動する。私はさらに三度、外板をたたいた。

間違いなく、船内からも、三度打音が返ってきた。

生存者がいる。取り残された船長が生きていた！

ダイバーウォッチに目をやると、潜水開始から八分四十秒が経過していた。まだ十六分以上の時間が残されている。

宮崎と顔を見合わせた。ハンドサインを送って、意志を確認するまでもなかった。そんな時間すらもったいない。私たちは一瞬の目配せののちに、フィンを蹴って移動を始めた。一度海底に戻り、生存者用のタンクと全面マスクを手にして、船橋へと向かう。

操舵室横のドアから、闇の船内へ侵入した。

船は横倒しとなっている。床が左舷《さげん》、天井が右舷。頭の中で左九十度に船室内を傾けて考えてみるが、どうしても平衡感覚に微妙な違和感が残ってしまう。しかも、書類や海図などの浮遊物がハロゲンライトの前を横切り、視界までを隠そうとする。

おそらく、最後まで船長はこの操舵室にいたはずだ。そして、横転と同時に流れ込んできた海水に飲まれ、居住区の奥へ押し流されて行ったのだろう。

操舵室の右手に、下へ続く階段があった。宮崎にハンドサインを送り、自分が先に進むことを告げてから、階段奥へ、横になった船の底へと進んで行った。

二層下の通路が、右と左に別れていた。生存者がいるからには、そこには空気の層が残っているはずだ。となれば、上、つまり右舷方向にいる可能性が一番強い。それは分かるが、居住区の前後、どちらの側にいるのか、がつかめない。

通路の途中で壁をたたき、再び打音反応を確認した。すぐに金属音が返ってきた。船内に入り、少しは生存者に近づいたというのに、心なしかその音が小さくなったように聞こえた。沈没からほぼ四時間。空気の層が残されていたにしても、その量は限られている。酸欠が近づいているのかもしれない。

音の出どころは右——船尾方向のように聞こえた。宮崎も船尾を指さし、頷いている。

十一分経過。残りはあと十四分。闇の中の狭い通路を、ライトをかざし奥へ進んだ。

打音が徐々に大きくなる。通路の天井、つまり右舷側に、ドアがいくつか並んでいた。宮崎と手分けして、手前から順に頭を突っ込み、闇の船室内を確認していく。

一番手前のドアには、食堂と書かれたプレートがかかっていた。開けると同時に、何かが通路内へと落ちて来た。二脚の椅子だ。それをかわし、ゆっくりとドアから頭を突き出した。

ライトをめぐらす。横転したテーブルと椅子の脚が、墓場の卒塔婆《そとうば》のように突き出していた。食堂の幅は四メートルほどか。上部には、わずかながら空気の層らしき色と光の角度の違いが確認できた。が、どこを照らしてみても、生存者らしき姿は見えない。

通路へ出ると、宮崎も同じだったようだ。顔の前でライトを左右に振った。十二分三十秒経過。残り半分。

次の扉へ移動した。今度は、船員室か。ベッドらしきものが上に見えた。そのさらに上で、水がうごめくような気配があった。船室内を漂う毛布が、息を吹き返した生き物のように、急に動き出したのだ。

私はドアから船室内へ浮上した。たなびく毛布が行く手をさえぎり、体にからみついてこようとする。それを押しのけ、左手のライトを上へ向けた。

二段ベッドの奥に、二本の足のようなものが見えた。

いた。生存者だ！

ライトをかざした。ベッドの先に、作りつけと見られるテーブルが据えられている。その先に、わずかな空気の層が見えた。そこに顔を突き出し、男がベッドの支柱の上で背伸びをするようにして立っていた。こちらに気づけとばかりに、水の中で両手を狂ったように回している。

体を激しく動かしては、無駄に酸素を消費する。私は救助用タンクのバルブを開け、その場にエアを放出した。大量の気泡が小躍りしながら暗い水中を上昇していく。

宮崎を呼ぶより、今は船長を落ち着かせるのが先だった。私は漂う毛布をさけて、空気の層へ向けて浮上した。救助マニュアル通りに、直接ライトを生存者に向けないように注意してフィンを蹴った。三時間以上も闇の中にいて、生存者の目は光に慣れていない。

空気の層は、五十センチほどの隙間しかなかった。急に抱きつかれないように、私は距離を取って生存者の横に浮上した。

船長がうめくように言葉にならない声を発した。私のほうへ近寄ろうと、その場で激しく水をかいた。それを手で制しながら、私は素早くレギュレーターを吐き出した。

「海上保安庁の特殊救難隊です。もう心配はいりません。どうか落ち着いて呼吸をしてください」

言葉をかけながら、こちらも深呼吸をしてみせる。タンクのエアを放出したばかりだというのに、一呼吸でその場の酸素濃度が少ないと分かるほどの空気だった。私は続けてバルブを開き、エアを放出した。が、船長は体を震わせ、あえぐばかりで、呼吸は少しも安定しない。

「無駄に空気を吸っては、余計に酸欠状態を引き起こします。さあ、もう大丈夫ですから、安心してゆっくりと息を吸って」

優しく話しかけながら船長を落ち着かせていると、こちらの様子に気づいたらしく、宮崎が私の足元から船室内へ浮上して来た。

さすがに二人の隊員が現れると、船長も少しは落ち着きを取り戻したようだった。私は彼の顔をのぞき込み、目の動き具合が少なくなったことを確認した。それから、救助用の全面マスクを差し出しながら言った。

「いいですか。これから船内を抜けて、海面まで浮上します。このマスクはすっぽりと頭を覆うようにできていますから、これをかぶり、中にあるマウスピースをくわえてください。あとは普通に息をするだけで、楽に呼吸はできます。分かりますね」

説明を続けるそばから、宮崎が水中で私の肘《ひじ》をついてきた。目配せをよこし、私の意見を確かめようとする。

彼の心配は私にも分かった。この船長は、四時間近くも水深三十五メートル、四・五気圧の中に残されていたのだ。海面まで浮上するには、十五分以上の減圧時間が必要だった。が、ダイビング経験があるとは思えない船長に、それを納得させ、実行させるのは難しい。こちらにも、それにつき合っているだけのエアは残されていない。

私は小声で宮崎に言った。

「時間内で精一杯の浮上をしよう」

海上にはヘリが待機している。加圧設備のある病院へ直ちに搬送すれば、減圧症もある程度は防げるはずだった。

「俺が生存者を抱えていく。君はタンクを持って、先を行ってくれ」

「分かりました」

宮崎は頷《うなず》くと、私から救助用タンクを受け取った。私は再び船長に向かった。

「船内は真っ暗ですが、我々二人であなたの体を支えながら進みます。ゆっくりと落ち着いて呼吸を続ければ、何も恐ろしいことはありません。よろしいですね」

「ああ……分かった。やってみるよ……」

とぎれがちの言葉を返し、船長がぎくしゃくと頷いた。

「大丈夫。乗組員は全員救助されました。上の巡視船でみんな、あなたが生還するのを待っています。さあ、元気な顔を見せてやりましょう」

励ましながら、船長の頭にラバー製の全面マスクをかぶせ、後ろからジッパーを下げて止めた。マスクのガラス部分から中をのぞき込み、船長に呼吸の具合を確認する。準備完了だ。

すでに潜水開始から二十分以上が経過していた。が、ここで過ごした三分ほどがあるので、我々の残りのエアは八分弱だ。辛うじて浮上までの時間はある。

最初にタンクを持った宮崎が潜った。私は船長に向かって頷き返すと、下に向かって潜りましょう、との意味を込めて、親指を下に向けた。左手で彼の肩を抱きかかえたまま、右手でテーブルの端をつかみ、それを頼りに体を沈ませた。少し遅れて、船長の体が水の中に潜ってくる。

先を行く宮崎が、漂う毛布を払いのけて進んだ。もがくように手足を動かす船長の体を支えながら、あとに続いた。

通路へのドアが狭いために、二人並んでくぐり抜けるのが難しい。自分のタンクを引っかけないよう、船長を先にハッチの向こうへ押し出してやる。通路の先から宮崎が手を引き、やっとのことで通り抜けた。

二十二分三十秒経過。残り、五分半。

我々の減圧時間も危なくなっていた。だが、少しぐらいの減圧不足は、すぐに別のタンクを背負い、再び海中へ戻って減圧し直す「フカシ」という方法を取れば何とかなる。海上のボートには、予備のタンクがいくつもあった。大丈夫だ。このままいけば、問題はない。

そう胸の中で確信した——その時だった。

通路から階段へ移ろうと向きを変えた私たちの前に、いつのまに船室から流れ出したのか、一枚の毛布が漂って来た。視界をさえぎられて、闇が眼前に迫ってくる。

私たちには何ともなかった。フィンを操り、毛布をかわすために、体を右に向けようとした。が、その瞬間、船長が激しく動揺した。溺れて苦しがる子供のように、両手足を急にばたつかせた。

一人ずつドアから出るために、船長の体を支えていなかった。マスクの中の顔は見えなかったが、パニックを起こしかけているのは明らかだった。私は背中から船長の腰を抱き留めようとした。視界を失われる形になった船長は、なおも激しくもがき続けた。その反動をまともに受け、宮崎の手からタンクが滑り落ちた。沈み行くタンクにつられて、船長のマスクが下に引かれる。

揺れるライトの明かりの中で、マスクのジッパーが開きかけていくのが見えた。それを押さえようと、私は慌《あわ》てて手を差し伸べた。

ふいに、もがく船長の姿の上に、あの日の由美の姿が重なった。こうして抱き留めているのが、由美のような錯覚を覚えた。そんな感覚を振り払い、精一杯に手を差し伸べた。が、あと一歩で届かなかった。ラバー製のマスクが、目の前でずるりと外れた。船長の顔前で、エアの気泡が一気に上がった。

私は自分のレギュレーターを取り、船長の体を後ろから羽交い締めにした。むき出しとなった彼の口に、レギュレーターを押し込みながら、その場で力の限り、フィンを蹴った。

この上には食堂へのドアがあった。その上部には、わずかながら空気の層が残っていた。それを目指し、上昇した。もがく船長の体を押し、ドアを開ける。船室よりこちらのドアのほうが少しは広い。もつれるようにしてその間を抜け、息をこらえながら水を蹴った。

こちらの空気の層は、四十センチもないかもしれない。わずかな水面からやっと顔を出した途端に、船長が激しく体を揺すり、咳込んだ。私も少ない空気をむさぼり吸った。

あえぐ船長を抱えながら呼吸を整えていると、遅れて宮崎が浮上してきた。レギュレーターを外すなり、息も荒く私に言った。

「すみません……私の、ミスです……」

突然のアクシデントに、彼の声までが裏返っている。宮崎でなくとも、あれほど生存者に暴れられたのではたまらない。それに今は、ミスについて詮索し合っている時ではなかった。

「タンクはどうした?」

私の問いに、宮崎の返事がわずかに遅れた。

「それが……」

「どうした。見なかったのか!」

「いえ、下の船室へと……」

「——転がったのか」

目の前が闇に包まれ、ライトの明かりを見失いそうになった。宮崎の顔を見返すのに時間がかかった。

救助用のタンクと全面マスクを紛失した。しかも、我々のエアも残り少なくなっている。不測の事態だった。

二人のうちのどちらかのタンクを船長に回すとしても、彼を抱えながら、残る一本のタンクで代わる代わるに呼吸をし、バディ・ブリージングを続けながら浮上しなくてはならないのだ。そんなことが可能なのだろうか、と考えた。

救助用の全面マスクをつけている限り、呼吸は楽にできたはずだった。それなのに、視界をさえぎられて船長はパニックを起こした。そんな状態の者に、レギュレーターをくわえさせたまま、海面まで潜行を続けるなど、とてもできるとは思えなかった。途中でレギュレーターを吐き出すのが落ちだろう。今度彼にパニックを起こされれば、こちらにまで危険が及ぶ。

ダイバーウォッチに目をやった。二十三分経過。残圧計を確認すると、残りのエアは二十気圧分。もう三分もない。

「どうして浮上をしなかった！」

私はつい思いを声にし、宮崎にぶつけていた。食堂へ浮上した我々を見捨てて、そのまま船外に出ていれば、彼は間違いなく海面まで浮上できた。そうすれば、上で待つ川端が、潜水用具を抱えて救助に来ることもできたのだ。だが、それはもう望めない。

我々のタンクにも、減圧しながら浮上する分のエアは残っていなかった。しかも、残された空気の層はわずかだ。いつまでも三人でここにいれば、ただでさえ少ない酸素をより消費する。一秒の躊躇が三人の死へつながる。

放心状態の宮崎を見つめ、私は言った。

「おまえはここに残れ。先ほどの船室内に残っていた空気の層で、四時間近く持ったんだ。二人なら一時間は確実に持つ。それだけあれば、応援を呼んで来るだけの時間はある」

「それなら、自分のタンクも……」

背中のタンクを外そうとした宮崎に、首を振った。そばにいる船長に聞こえないよう、耳元でささやいた。

「万が一、一時間経っても誰も来ない時には、残ったエアを使っておまえ一人だけでも戻って来い。そうすれば、おまえの命は助かる」

「しかし、それでは……」

「最悪の時のことを言っている。必ず応援を呼んでくるから心配はするな。それまで船長を頼んだぞ」

言い返す暇を与えず、支えていた船長の体を彼に託した。レギュレーターをくわえるなり、潜行する。

残念ながら、三人が三人とも、無事に助かる道はありそうになかった。私たちのタンクを合わせれば、辛うじて一人が浮上する分のエアはあるかもしれない。だが、もし救助が遅れた場合、中に残った者は確実に死ぬ。

残る道は、誰かが減圧症を覚悟で海面まで急浮上し、この窮状を上に知らせる以外に方法はなかった。それを若い宮崎にさせるわけにはいかない。彼にはまだ四年以上の任期がある。これが最善の策なのだ。自ら無茶をやろうとしているわけではない。

通路から階段を経て、操舵室へ抜け出した。ゆらゆらと揺れるドアを押し、船外へ脱出する。腰に巻いたウエイトベルトを捨て、一直線に海面を目指した。

急浮上の際に一番恐れなければならないのは、エアエンボリズム——肺の破裂だった。浮上につれて水圧から解かれ、エアは膨張する。それが肺の中にたまらないよう、気道を確保しながらゆっくりと息を吐き、上昇した。

あとはもう、減圧症が少ないように、ひたすら祈るだけだった。軽い症状なら、手足の痛みですむだろう。だが、重くなれば運動麻痺《まひ》や骨壊死《こつえし》という事態もあり得る。

これでもう、亜希子の望むインストラクターへの道は閉ざされたも同じだった。

ざまあ見ろ、という気持ちがあった。不思議と、爽快感《そうかい》のようなものさえ胸にはある。なに、命さえ助かれば、どうにでも暮らしていくことはできるのだ。たとえ、私一人でも。この先の人生を、ともに暮らす相棒がいなくとも——。

そんな自分に驚いていた。亜希子を選んだはずではなかったのか。

エアが切れた。ゲージを見ると、まだ水深二十三メートル。あとは無呼吸で浮上して行くしかない。

酸欠になった頭の中に、ふと、由美の顔が浮かんできた。どうしてこんな時に、彼女のことを思い出すのだろう。今になって懺悔《ざんげ》の気持ちがあふれてきたというのか。だが、もう遅い。私は彼女の心に償いようのない傷を負わせた。今さら何ができるという。

頭上にぼんやりと、銀に輝く明かりが見えてきた。海面を照らすボートからのライトだった。息が詰まり、マスクの中で視界がせばまる。神々しく揺れる明かりの中に、なぜか由美の笑顔が見えていた。いつもと変わらず、静かに微笑む彼女がいた。その場所を目指し、私は最後の力を振り絞ってフィンを蹴った。


「どうした、長瀬！　何があった！」

気がつくと、波の高い海上に浮かんでいた。揺れるボートの上に、上半身が引き寄せられている。私の腕をつかみ、川端が身を乗り出して叫び続けていた。その背後に、「うらが」の乗組員たちの顔が見える。

「船内に……生存者と宮崎が……」

「場所はどこだ」

状況を察したらしく、川端はもう潜水器材を身につけていた。

「階段を下りて、すぐ右の食堂です……空気の層はまだ、残っていると思いますが……早く、救助を……」

「減圧しないで浮上してきやがったのか」

川端が新しいタンクを私の前に押し出した。それを受け取りながら、くらみかける頭を振って、私は言った。

「隊長……バディを見つけたら紹介しろと言いましたよね」

「こんな時に何を言ってる」

「今度……会ってやってください」

レギュレーターを私の手に握らせながら、川端は大きく頷いた。

「ああ、約束する。どこの女だ」

「これから探すんですよ」

私は減圧停止のために新たなタンクを抱えると、再び波間を沈んで行った。暗い海の中を漂いながら、由美を必ず探し出そうと考えていた。

昔《せき》日《じつ》

残暑お見舞い申し上げます。

その後、いかがお過ごしでしょう。お子様もそろそろ五つになられ、きっとかわいい盛りでしょうね。もしかすると、もう一人下にお子様も生まれ……なんて、ますますにぎやかになっているのかもしれません。

縁あって、この十月に三たび名字が変わることになりました。この私がいきなり二児の母です。幸い子供たちもなついてくれているようなので、精一杯お母さんをしてみようと思っています。振り返れば、貴方《あなた》には迷惑をかけてばかりでした。お詫びの言葉もありませんですが、ご一緒させていただいた四年を貴重な月日とし、これからの人生に生かしていきたいと思っています。

最後になりましたが、くれぐれもお仕事にはお気をつけください。

津田君恵《つだきみえ》

1

不発弾は、その場で寝かしたようにほぼ水平の状態で、半身を土の中に埋《う》めていた。

川崎市幸区の、国道一号線に近い住宅地の中だった。川崎にはかつて軍の管理する石油精製施設が置かれていた経緯があり、幾度となくB29の攻撃目標とされた地だった。そのため、この近辺では過去にも不発弾が発見されていた。

高坂《こうさか》透《とおる》は現場の警備に当たっていた警官を呼ぶと、真っ先に人払いを頼んだ。改築工事は途中でストップされ、ロープで囲われた敷地内を取り巻くようにして、多くの作業員が不安げな顔で見守っていた。不発弾と確認された以上、まずは付近の安全確保だった。

陸上自衛隊、東部方面武器隊第一〇二不発弾処理隊では、二十四時間いつでも不発弾に対処できる態勢を取っている。高坂の率いる第一処理班が、今日の待機隊だった。

現場に到着した時、高坂はてっきりマンションの建設現場かと錯覚した。それほど敷地は広かった。古くからの地主の家なのだろうか。不発弾らしきものが発見されたのは、敷地のやや北よりの奥。基礎工事のため、その周囲二メートルあまりが、八十センチほど掘り下げられていた。その手前には庭の跡らしき木々や芝生がまだ残っているので、ちょうど旧居の建てられていた辺りのようだ。この敷地の持ち主一家は、五十年にわたり、不発弾の上で暮らしていたことになる。

「思ったより、でかいですね」

原口忠志《はらぐちただし》が隣でうなるように言った。半身を見せた不発弾の前でかがみ、その体軀をとくと眺め回した。

確かに大きい。胴体部分のふくらみからすると、直径は五十センチ近くあるだろう。

「こりゃあ、五百ポンドじゃないな」

高坂も、びっしりと赤く錆《さび》の浮いた胴回りのふくらみ具合を確認して頷《うなず》き返した。

Ｂ29大型長距離爆撃機が落としていった爆弾には、いくつかの種類があった。その中で最も多く使用されたのが、ＡＮ‐Ｍ64五百ポンド通常爆弾だった。Ｂ29の爆弾倉に適した手頃な大きさだったものと見え、日本各地で数多く投下されていた。東京一円では、その五百ポンド通常爆弾が、不発弾として発見されるケースが多かった。

が、今胴体を見せている不発弾の弾筒は、明らかにそれより大きく見えた。

「Ｍ65か66辺りですかね」

「当てずっぽうは禁物だ。掘り出せば、嫌でも予測はつくさ」

不発弾の処理には、何よりもまずその種類の把握が必要だった。セットされた信管の型によっては、ほんのわずかな振動すらも危険につながる。発見された不発弾は、まだ弾頭と弾底が土に隠れているので、信管の取りつけ部が見えなかった。

高坂たちは慎重に手で土をわけ、不発弾を掘り出していった。弾筒は想像していた以上に太い。尾部のヒレは、落下の衝撃でひしゃげ、鋼板が中央部に向けて落ちくぼんでいた。頭部が土から顔をのぞかせた。全長は一メートル近くあるだろうか。五百ポンド型にしては、やはり大きすぎた。高坂は慎重を期し、刷毛《はけ》で丹念に弾の周囲の土を払った。息を吹きかけ、信管の取りつけ部を露出させる。

起爆装置となる信管が、何らかの理由によりその働きをしなかったため、爆発せずに残ったものが、不発弾である。部品の不良、偶然による衝撃の不足など、信管が作動しなかった理由はいくつか考えられる。だが、五十年間作動しなかったからといって、この先も爆発しないとの保証にはならなかった。それが不発弾の恐ろしさである。

初めての出動の際には、高坂も極度の緊張のため、先輩隊員の横で立っているのがやっとだった。今も若い大塚は、工具を握り締め、じっと高坂たちの手元を祈るように凝視している。

「錆がひどいですね」

原口が心配そうに弾頭に顔を近づけた。

信管はねじ込み式だ。胴との接触部が、五十年という長い歳月が層をなしたようなぶ厚い錆に覆われ、よく見えなかった。角張った突出部から、瞬発型との予想はついた。

「班長。これ、回りますかね？」

原口が首をひねりながら問いかけてきた。ねじ込み式は、逆さに回せば信管の離脱が可能だった。信管さえ抜くことができれば、不発弾は爆薬の詰まった鉄の筒にすぎなくなる。火にさえ気をつければ、持ち運びは楽にできた。

「難しいかもしれないな。錆が中までまわっていそうに見える」

「出直しですか」

その場での処理が不可能となれば、付近の住民を避難させての大がかりな処理になる。

「その覚悟はしておいたほうがいいだろうな」

高坂は言い、さらに弾底部の土を払いにかかった。米軍の投下した爆弾の中には、最初から不発弾になる可能性を考慮し、長延期型の信管が弾底部に取りつけられているものがあった。つまり、時限発火装置のような信管である。

「見てくださいよ。これはかなりの性悪《しょうわる》だ」

露出した弾底部を一目見るなり、原口が舌打ちをした。信管がもうひとつ、弾底部にも組み込まれていた。しかも、その差し込み口の形状から、M132弾底信管のように見える。

これは、内部に起爆装置代わりの薬剤の入ったアンプルが組み込まれ、信管だけ抜こうとすれば、それが割れて即爆発につながる。最も処理に手のかかる、たちの悪い信管だった。

この場での処理は不可能だった。ここは隊に戻り、処理策を協議してから出直す以外にはないだろう。大塚に言いつけ、車に用意してあるカメラを持って来させた。さらに信管の周囲の土を払おうとした。

高坂は、ふと違和感にとらわれ、その手を止めた。あらためて身を引き、不発弾の周囲を見回してみた。

気のせいだろうか。弾筒下と、その上を覆っていた土の色味が、若干違うように感じられた。かつてここは畑か何かで、土壌を改良した跡なのだろうか。

「どうかしましたか?」

高坂の手が止まったのを不思議に思ったらしく、カメラの用意をしていた大塚が呼びかけてきた。すでに陽は西に傾き、隣家の屋根の影が穴の中に射していた。

「いや……」

高坂は言葉を濁し、作業に戻った。信管部を中心にして、不発弾の姿をカメラに収めた。念のために、周囲の土の様子も写しておいた。使用しているフィルム感度で、どこまでその違いがとらえられるか不安はあったが。

高坂は朝霞《あさか》の処理隊に報告を入れた。それから警官に状況を説明した。地元署の幹部も、ある程度は覚悟していたようだった。説明を聞き、神妙な顔で頷き返した。

付近の住民を避難させての処理になると、地元の警察や自治体による対策本部が設置される。隊では、幹部がその指揮に当たる。高坂たち処理班は、処理にどの程度の時間が必要か事前に割り出し、その間の住民の避難を本部が責任を持って行う。

その本部作りが、今は急務だった。

2

「やばいですよ。どうも彼女に気づかれたみたいなんです」

「だから言っただろ。早いとこ、打ち明けろって。じっくり話せば、必ず分かってくれるさ」

「無理ですよ……。彼女は隊のことなんか何も知らないんですから。不発弾の処理なんて聞けば、毎日赤や青の導火線のどっちを切るのか悩むような仕事だって思うに決まってますよ」

　隊へ戻る車中は、すでに出動の際の緊張は解けている。つい先ほどまでは、顔も体もがちがちに硬くしていた大塚が、今は肩の力を抜いてハンドルを握り、助手席の原口に向かって何事かぼやいていた。どうやら彼女に、隊での任務をまだ詳しく話していないようだった。

　存在そのものをとやかく言われることの多い自衛隊の中で、災害派遣と並び、不発弾処理は、市民の理解を得られる数少ない任務だった。そのうえに、マスコミから取り上げられる機会も多く、隊の中では珍しくスポットを浴びやすい部署でもあった。

　同じ自衛隊に所属しながら、毎日辛い訓練に明け暮れているよその隊から見れば、危険と背中合わせではあるが、それだけの甲斐のある仕事だと言えた。仲間たちのそんな気持ちが分かるからこそ、自分の仕事をことさら誇ろうと高坂たちはしなかった。

不発弾処理にはどうしても危険がつきまとう。処理隊では過去に一度も事故を起こしたことがない。それが自慢だった。だが、隊員の家族から見れば、将来における保証につながるわけではない。だから、つい心配させまいと思い、隊でどんな任務についているか、打ち明けられない者も中にはいた。

「ねえ、班長はどうだったんです？」

大塚が急に話題を振ってきた。助手席で原口がちょっと緊張するのが分かる。

「どうだったかなあ。もう随分昔のことだからな」

「奥さん、すぐ理解してくれましたか」

「最初だけだよ、不安がるのは」

原口が察し、横から助け船を出してくれた。

「うちも初めのころは大変だったが、今じゃもう慣れちまって、処理の日だろうと、ポンと尻をたたかれ出勤だよ。大丈夫。女ってのは強いもんだ。ねえ、班長？」

笑顔を作ってみせる原口に、頷き返すのがやっとだった。

高坂が津田君恵と結婚したのは、不発弾処理に関わって二年が過ぎたころだった。だからもう十年も昔になる。

高坂は多くの例に洩れず、自ら進んで自衛隊への道を選んだわけではなかった。高校卒業間際に、教師たちともめ事を起こし、それで内定していた職がふいになった。進学クラスばかりを重視する、当時の学校に対する憤りからの行動だった。あのころも、そして今も、その行動に悔いる気持ちは少しもなかった。

今さら大学へ進もうという気も起こらず、かといって職探しのシーズンからも外れていた。家族が気を揉んでいるのも、痛いほどに分かった。それでひとまずは、自衛隊にでも入るか、と軽い気持ちで門をくぐった。

入隊して何よりも驚いたのは、まず銃を持たされたことだった。隊に入ればそれは当然で、驚くほうがおかしいのだが、高坂は少なからぬ狼狽を感じた。戦車や自走砲など、明らかな兵器が周囲に存在すること自体が信じられない思いだった。自衛隊への認識が、あまりにもかけていた。

これではいけない。せめて武器について知らなければ。知れば、少しは安全に扱えるはずだ。そう思い、高坂は数ある隊の中から、武器弾薬の職種を選んだ。

武器学校で弾薬課程を学んだ高坂は、沖縄への赴任《ふにん》が決まった。弾薬検査の要員が不足していると聞かされていたのだが、高坂を迎えに来たのは、不発弾処理隊の幹部だった。まるで騙《だま》し討ちのような転属だった。

その沖縄で、高坂は君恵と出会った。

どこにでも転がっている、ごくありふれた出会いだった。隊の仲間と座間味《ざまみ》のビーチに出かけ、そこの小さなレストランバーでアルバイトをしていた君恵を見そめた。

自衛隊員であるのは、仲間と一緒だったこともあり、最初から打ち明けていた。だが、そこでの詳しい任務は口にしなかった。言えなかった。

不発弾処理隊に転属が決まった時、電話先で泣き出した母親の声が高坂の耳に貼りついていた。せっかく知り合ったばかりで、彼女を驚かせることはない。そう思った。

職業上のわずかな危険は、男を輝かせて見せるかもしれないが、いざ結婚となれば、女性はやはり何よりもまず安定を、安息を望むのではないか。ありあまる危険は、明らかな敬遠材料になる。そんなハンデを負い、彼女をつなぎ止めておける自信が、高坂にはなかった。

せめて、結婚が決まるまでに打ち明けていればよかったのかもしれない。あとになって高坂は、何度そう思ったか分からなかった。

3

過去に処理した不発弾のデータを初めとして、可能な限り収集した空爆に関する軍事資料が、隊のキャビネット二つにぎっしりと詰まっていた。朝霞の駐屯地に戻ると、高坂たち処理班員は、総出で過去のデータをひっくり返した。撮影したフィルムを現像し、あらゆる角度からの照合を試みる。

予想した通り、弾はＡＮ－Ｍ66二千ポンド通常爆弾と断定された。これにはＴＮＴ《トリニトロトルエン》とその混合タイプの二種類があった。

ＴＮＴは、自然分解も、金属と作用することもなく、また比較的衝撃にも強く、爆弾として金属筒に詰めるには打ってつけの薬剤だった。つまりは、信管さえ抜き取ってしまえば、危険は非常に少なくなるのだ。

「問題は、この錆びた二つの信管だな」

「長延期タイプがついているとなれば、ロケットレンチは使えないな。振動で、ドカン、の危険性がある」

「となると、また図面を引いて、糸ノコでの切断ですかね」

早速、他の班員も加えての作戦会議が始まった。

それを横目に、高坂は一人、まだ資料の前から離れられずにいた。

「どうしました、班長？」

肝心の処理担当班の責任者が話の輪に加わろうとしないため、原口が不思議そうな顔で席を立ち、近づいて来た。

「ちょっと、気になることがあってな」

「何がです」

「なあ。過去にあの辺りで〝66《ロクロク》〟が出たことあったかな」

「あったと思いますけど」

原口は言い、横から高坂のめくっていた過去の事例をまとめたファイルを受け取った。

「待ってください。確か、杉並か世田谷の辺りで出たと……」

頁をめくろうとした原口の手を、高坂は止めた。

「川崎ではないんだな」

「そうですが……でも、東京で出たわけですから、すぐ隣の川崎で出たとしても、別に不思議はないと思いますが」

本土空襲の当初、米軍は対空砲射を警戒し、高高度からの爆撃を行った。レーダーによる精密爆撃を試みたのだが、高度を取りすぎたためか、実際にはいくらかの誤差も生じていた。その範疇《はんちゅう》に入るのではないか、と原口は言うのである。

だが、杉並と川崎では、あまりにも誤差が大きすぎるような気がしないでもない。

高坂は資料から目を上げた。

「こっちに配属された当初、発見される不発弾の傾向をつかもうと、過去の事例を調べてみたことがある」

「――はい」

「軍需工場のあった周囲からは、なるほど比較的大きな弾も見つかっていたはずだ。けれど、それ以外となると、五百ポンド通常爆弾がほとんどだった記憶がある」

「ですから、川崎には——」

「そう、石油精製施設があった。だから、空爆を何度も受けている。でも、俺の記憶では、このタイプは見つかっていなかったと思う」

記憶をたどるように、原口の視線がキャビネットのほうへ向けられた。その視線の先から、高坂は米軍のミッションレポートのコピーを選び、抜き出した。

日本空襲の拠点となったマリアナ基地のアメリカ陸軍航空隊B29部隊の残した戦術報告書が、ワシントンの国立公文書館にマイクロフィルムとなって保存されていた。そこには、日本の攻撃目標地点、出撃機数、投下爆弾トン数等の詳しい作戦内容が記されている。投下した爆弾や装着した信管の種類が記載されているものもあり、それをたどれば、日本のどの地点に、どんな爆弾が投下されたかの概要がつかめる。

川崎の石油精製施設を攻撃目標とした出撃は、終戦のほぼ一ヵ月前の七月になってからだった。主要軍需工場の爆撃を終え、標的を日本各地の石油施設に移してからの作戦のひとつである。

七月十三日に六十機、七月二十五日に八十三機、そして八月一日に百二十八機が出撃していた。だが、そのいずれもが、M64五百ポンド通常爆弾を使用しての攻撃だった、とレポートにはある。

「確かに、記録上はそうなってますね」

原口はレポートに目を落とし、含みのある言い方をした。

資料の中には、報告書の種類によって、同じ作戦内容でありながら、記述に食い違いの見られるケースもあった。レポートは、あくまで作戦予定や、のちに書かれた報告書にすぎず、実際の爆撃内容とは違いのある場合もあった。

白昼の銀座空襲として名高い、昭和二十年一月二十七日の空爆も、当初は旧武蔵野町の中島飛行機工場が目標とされた出撃だった。が、気象条件の悪化により精密爆撃を断念し、代わりに都市部を襲ったという経緯が、その裏にはあった。

なおも原口は慎重だった。

「それに〝投げ荷〟の件もありますからね」

出撃機の中には、爆弾投下の機会を逸し、機内に積み荷を残してしまうものもあった。その場合、反転し、帰路の途中で別の地点へ、残った爆弾を投下する事例がいくつも見られた。積み荷を多く残せば、その分の貴重な燃料を消費する。どうせ投下するなら、海より陸に落とし、少しでも敵国に被害を与えたほうがいい。そんな帰りがけの二次的な投下を〝投げ荷〟と言った。ミッションレポートに、その〝投げ荷〟に関する記述はない。

「しかし、川崎に〝投げ荷〟を落としたとなれば、東京近辺への爆撃ではなかったことになりはしないだろうか。反転には、ある程度の距離が必要になる。東京周辺の都市で、M66が使用された出撃があったかどうかを調べていけば、川崎でそれが見つかる可能性の有無も分かるはずだ」

「仮にそうではなかったとしても、班長。それが何を意味するって言うんです？」

原口としても、ある程度は先を予測しての言葉に思えた。しかし、あまりに現実的ではない、と見ている。そんな否定の口振りだった。

「確かに俺の考えすぎかもしれない。けれど、どうも気になるんだ。本来、あまり出るはずのない地点で、大物が出た」

「報告書に記述のない投下だって、充分考えられるじゃないですか」

確かにそうだ。しかし、不発弾を覆っていた土を払った時の違和感が、まだ高坂の脳裏には薄紙のように貼りつき、残っていた。残念ながら、現像した写真を見ただけでは、不発弾を取り巻く土の違いは判別できなかった。

会議の輪から離れて話し込んでいた二人に、他の隊員までもが集まりかけていた。原口がそれに気づき、あらたまるようにして高坂に低く言った。

「こうして現に不発弾が川崎で見つかっている。その事実を重視すべきではないでしょうか。いたずらに過去を振り返るより、見つかった不発弾をどう処理したらいいか、を考えるのが先決ですよ。それが我々の仕事なんですから」

久しぶりに懐かしい人からの便りが届き、今朝から昔を思い出してばかりいた。それに刺激され、遥か遠い昔までが気になって仕方ないのだろうか。そんなふうに高坂は考えてみた。

違った。そうではない。

やはり高坂には、あの不発弾を取り巻いていた土の手触りと色に、わずかな差があったように思えてならなかった。

4

官舎に戻ると、祐太《ゆうた》が廊下の奥から弾むように駆けて来た。

「パパ、お帰り」

「何だ、まだ起きてたのか。いけない子だな」

「今日もウルトラマンみたいに、バクダンやっつけてやった?」

「祐太にも見せたかったよ、パパの必殺技をな」

麻里子《まりこ》が何をどう話して聞かせたのか、息子は高坂の仕事を怪獣映画のヒーローみたいなものだと理解しているようだった。彼も父親の仕事を気にする歳になったのだ。

息子を抱き上げ、奥の部屋に向かった。子供というのは、抱き上げるたびに重くなる気がする。五年の重みがここにある。高坂はふと、そんな気がした。

祐太を寝かしつけ、リビングに戻ると、麻里子が流しの前で布巾の端を握りしめながら立っていた。

「出たの？」

幽霊でも出たのか、と問うような目を高坂に向けた。

「川崎だ。状態はなかなか良さそうだったよ」

仕事が仕事だけに、ある程度は隠さないで教えてほしい、と麻里子からは言われていた。が、すべてをありのままに伝えてはいなかった。そんなごまかしが、どこまで通じているかは分からなかったが。

「何だか最近、また多いみたい」

コンロの前で鍋を温めながら、麻里子がつぶやいた。

「景気もよくなってきたようだし、ほら、消費税のアップとかで、駆け込み受注が多いんじゃないか」

「いやね。景気がよくなると多くなるなんて」

「仕方ないだろ。地面を掘り返す機会が増えれば、それだけ不発弾も見つかりやすくなる」

家に帰って来た時の高坂の顔つきで、出動の有無が分かるようになった、と麻里子は言う。自分では気をつけているつもりだったが、妻の目はごまかせないもののようだ。

女性だからこそ、わずかな表情の違いが読めるのか。それとも、想いを寄せていれば、誰にでも感じられるものなのだろうか。高坂には分からなかった。

「ずるいわよ」

隊の任務について打ち明けた時、君恵はそう言って高坂をなじった。何を言われても仕方なかった。式が近づき、今さら結婚を取りやめるわけにもいかなくなったころを見計らい、ようやく高坂はそれを打ち明けたのだった。

過去に隊では一度も事故を起こしたことがない。怪我人一人出していない。それが隊の誇りだ。いくら言葉を並べても、彼女の不安をぬぐい去ってやることはできなかった。

結婚後、彼女は官舎で一人、高坂の帰りをただじっと待つ生活が続いた。最初は彼女も耐えていたと思う。

高坂は、処理に向かう日になると、いつも身なりを整えて出かけた。靴を磨き、作業着にアイロンをかけ、新品の下着をつけた。それは、任務に際しての心構えを示すため、自分の気を引き締めるための儀式のようなものだった。だが、頼むからやめてくれ、と君恵は言った。まるで戦地に向かう兵士のようだと言い、それを嫌った。

気持ちは理解できたが、譲れなかった。隊に所属してからずっと続けてきたことだった。途中でやめれば、何かよくない結果が起きそうな気がしてならなかった。

結婚から二年が過ぎたころから、些細《ささい》な諍《いさか》いが多くなった。子供があれば、少しは気も紛《まぎ》れたのかもしれない。君恵はいつも一人で、高坂の帰りを待つしかなかった。

高坂は反対したが、三年後に君恵は産婦人科の検診を受けた。それでも子供はできなかった。考えた末に、彼女は一時期、排卵誘発剤を服用してみたこともあった。

そうやって、子供のできない理由を突き詰めてしまったのが、君恵の精神状態をさらに追いつめる結果になったのだと思う。

仕事を辞めてくれ、としきりに懇願するようになった。

無理な願いだった。不発弾処理は経験がものをいう。爆弾の種類、信管の型、それらの破損具合。掘り出される不発弾をいくつも目にし、初めて血肉となり、一人前の処理隊員となっていく。過去のデータの蓄積が隊にないわけではなかったが、現物を目の当たりにするのが何よりの近道だった。

一人の処理隊員を育てるのに、どれだけの時間と費用がかかるか分からない。だからこそ、個人的な都合で任務から離れたい、とは言えなかった。不発弾処理は、本土空襲を受けた日本に必要不可欠な仕事だった。

妻なら夫の仕事を理解してくれなくては困る。そもそもが極度の緊張とストレスに見舞われる仕事だった。せめて家では、心ゆくまで気を休めたかった。それなのに、妻と諍いの連続では、いつか仕事にまで影響が出そうに思えてならなかった。

自然と官舎に帰る時間が遅くなった。同僚と飲みに出る機会も増えた。そこで、高坂は麻里子を知った。

隊に近い飲み屋だからこそ、彼女は高坂たちの任務についても知っていた。営業用だけでは決してない笑顔で迎えてくれた。心ゆくまで気を休められる場所をやっと見つけたような気がした。

君恵との仲が気まずくなっていたのは、やはり言い訳にしかすぎないだろう。彼女としても、高坂の身を憂うあまりのことだったのだ。自分への気持ちが薄れたわけではない。だが、高坂はそんな真意を振り返って見つめ直そうとしなかった。

想いがあるからなのか、女だからこそ、それに気づけるのだろうか。いつしか君恵に悟られていた。

「まだ調べ物?」

麻里子が襖を開け、奥の部屋から顔を見せた。

「ああ、そろそろ終わりにするよ」

「市民のために頑張ってるウルトラマンのようなお父さんに、麦茶でも持ってきますか」

麻里子は笑って言い、勢いをつけて立ち上がると、キッチンへ歩いて行った。

例の不発弾が気にかかり、隊の資料を持ち帰っていた。やはりM66二千ポンド通常爆弾が、川崎の辺りに〝投げ荷〟として投下された可能性はそう多くないように思えてならなかった。

一般的には、攻撃目標から反転してわざわざ東京近郊上空を通過して帰還するコースを取ることは、あまり考えられなかった。首都近郊ともなれば、それなりに高射砲などの備えもあるのが普通だろう。首都への空爆ならまだしも、その周囲への爆撃の際には、大都市圏を迂回するコースを取るのが自然だった。

だが、もちろんこれらの資料は、あくまで事前の計画やその報告書にすぎず、事実を調べ上げたうえでの詳細なレポートではなかった。高坂の取り越し苦労という可能性は否定できない。

資料を閉じ、奥の部屋を振り返った。開いた襖の向こうに、祐太のあどけない寝顔が見えた。ストレスに押しつぶされそうになった時、どれだけこの笑顔に救われたろうか。

ふと、葉書の文字が思い出された。

――この私がいきなり二児の母です――

相手は間違いなく、危険とは無縁の世界で仕事をしている男だろう、と思った。

5

翌日、高坂は原口を伴い、再び車で川崎の現場へ向かった。処理前にもう一度じっくりと現物を見ておきたい、と隊長に告げ、許可を得たのだ。

「レポートを信用する限り、市街地の空襲には、まったくと言っていいほどM66は使用されていませんでしたね」

「何だ、調べたのか」

驚いて運転席の原口を見ると、彼は照れたように小さく笑った。

「どうも班長の心配性がうつってしまったようですよ」

原口の指摘通り、市街地の空襲には、M47やE46に代表される焼夷弾《しょういだん》が主に使用され、爆弾はあくまで威嚇《いかく》用として投下されたにすぎなかった。爆弾倉の収容能力の関係からか、それもM64五百ポンド弾がほとんどだった。

それ以外の大型爆弾となると、工場などの軍需施設を狙い撃ちにする場合に限られていた。破壊力のある爆弾を使用し、少しでも施設にダメージを与えようという作戦である。

M66の投下された出撃を拾い上げてみると、昨夜原口が指摘した旧武蔵野町の中島飛行機工場以外は、いずれも大阪や名古屋や岐阜など、関東近郊から離れた地になる。そうなると、川崎とは距離がありすぎて、反転しての〝投げ荷〟があったとは考えにくくなる。

「でも、だからといって、まだ班長の意見に納得ができたわけではありませんからね。可能性として、いくらか残る気がするだけです」

「それで充分。もう少し心配性につきあってくれ」

「つきあいましょう。処理にしくじれば、一緒に露と消える運命なんですから」

縁起でもない軽口をたたき、原口はひとしきり笑顔を作った。

現場はすでに大袈裟《おおげさ》なほどの警備が敷かれていた。不発弾の埋まっていた地点を囲んで二重のロープが張られ、敷地前に停めたパトカーからは、監視の目をそそぐ警官たちの姿があった。実際の処理の際には、不発弾の周囲を鋼板で覆うことになっており、その準備も進められているらしく、敷地の片隅には資材の山も見えた。

警官たちは、さすがに高坂らの調査に立ち会おうとしなかった。

二人で慎重に、不発弾の上を覆っておいたカバーを外した。掘り広げた穴の中に下り、不発弾の前でかがんだ。弾頭下の土を手に取ってみる。

「どう思う?」

原口も土をつかみ、こねるように揉んでは、その感触を確かめている。

高坂は手を伸ばし、次に敷地の表面の土を握った。

「多少、こっちのほうが乾いているから、見た目にはまるで違うように見えはする。けれど、もっとよく注意して見ると、こちらはかなり粒のきめが細かい。ところが、この下のほうの土には、結構目の粗い砂粒のようなものが混ざっている」

原口は首をひねり、何度も両者を見比べ、それから掘り広げた穴の周囲の土壁に目を向けた。高坂も斜面をなで、土の境目を探そうとする。

「土壌の専門家ではないから断定はできないが、俺にはどうもこの辺りで、土の種類が違っているようにしか見えないんだがな」

「こうは考えられませんか」

穴の中で立ち上がり、原口は広い敷地内を見回した。

「ここは昔、畑だった。けれど、残念ながら海に近くて栽培にあまり適した土ではなかった。そこで、どこからか別の土を持って来て入れた。だから、土が軟らかくなっていて、それがクッションとなり、M66も不発に終わった」

「それなら、弾の下にも押し固められた、きめの細かい土がなければおかしい」

高坂は不発弾の尾部を示して続けた。

「しかも、ヒレの一部が中央にひしゃげ、弾はバウンドしたか、または何らかの拍子に尾部から落下したかのようにも見える。しかし、掘り出された弾は、行儀よく寝かしつけたかのように、ほぼ水平の状態で埋まっていた」

「しかし、班長。そんなことが――」

こちらを見る原口の顔が、亡霊にでも出くわしたかのように強張っていた。もしかすると高坂たちは、五十年前の亡霊を目の前にしているのかもしれない。

「なあ。警察へ相談する前に、ここに住んでいた人から話を聞いてみる気はないか？」


改築工事を進めている土地の所有者はすぐに判明した。処理を進めるには、工事を中断し、土地の所有者から許可を得なければならなかった。その作業を警察と自治体が進めていた。

土地の所有者の氏名は、手島寛二《てじまかんじ》といった。一家は今、川崎駅からほど近い高層マンションの一室に、仮の住まいを構えていた。

発見までの詳しい経緯を聞きたいと理由を作り、高坂たちは手島家を訪問した。

手島夫人は六十代の半ばだろうか。白髪まじりの髪を後ろでまとめ、大島のような色合いの紺のワンピースに細い体を包んでいた。通された玄関や居間には、壁を埋めるように抽象画が飾られ、広い敷地の所有者に似合った暮らしぶりのよさが感じられた。

「ほんと驚きましたよ。二十五年近くも爆弾の上で暮らしていたなんて」

夫人は大袈裟に肩をすくめるようなそぶりを作って言った。そびやかした肩と眉《まゆ》に、ちらりと気取りが見えた。

「二十五年近く前と言いますと、正確にはいつ、以前のご自宅を建てられたのです」

「主人がこちらに本社を移した時でしたから、昭和四十五、六年でしょうか」

駅近くの住宅街に、あれほどの敷地を持っているのだ。それなりの職にある者の一家だろうとは予想していた。

「それ以前のことになりますが、あの土地にはどなたがお住みになっていたか、分かりますでしょうか」

「どうだったかしら……。下村さんに聞けば分かるかしらね」

「その方は？」

夫人は頷き、懐かしむように頰を和《なご》ませて言った。

「主人の片腕だった人でしてね。随分よくしてくれたんですよ。確かあの方が中心になって、動いてくれたんじゃなかったかしらね」

「動く？」

「ええ。本社と一緒に、うちをこちらに移しましたでしょ。それで、下村さんが指揮を執《と》ってくれたはずでした」

「あの……指揮とは何の——」

夫人の言葉には、老人特有な、自分なりの言い回しが多く、すぐには内容がつかめなかった。

「あら、ごめんなさい。うち、建設ですの。本社ビルと一緒に、自宅のほうも会社で建ててもらいましてね」

上品に笑いながら夫人は言った。

建設会社とは知らなかった。話に出た下村という人物が、建築責任者だったようだ。

「ご面倒でしょうが、下村さんの連絡先は分かりますでしょうか」

「ごめんなさいね。今はちょっと……」

「会社を辞められたのですか？」

「ええ。主人も信頼していた方でしたから、それは残念がっていましたけど。独立したいと言われれば、それを無下に引き留めるわけにも参りませんでしょう？」

「では、やはり建築業を」

「だと思います。けれど、何分もう古いことですので、今では噂も、もう……」

「いつ独立なされたのでしょうか」

夫人は壁の抽象画を見上げ、それから手を胸の前で合わせて言った。

「そうそう。本社が移転するのと同じころだったかしら」

移転と同時に——。

つまりは、自宅の建設が終わった直後ということにも……。

高坂は隣に座る原口と顔を見合わせていた。五十年前の亡霊を再び目の当たりにしたような表情がそこにあった。

本来あまり出る可能性のない不発弾が発見され、その地に家を建てた建設会社の責任者が、完成からまもなく会社を去っていた。しかもその責任者は、新築した家の住人でもある建設会社の社長の片腕とまで言われた人物だった——。

まさかとは思いながら、高坂は念のために訊いた。

「参考のためにお聞きしたいのですが、それまで本社は、どちらのほうに——」

あっさりと夫人は答え返した。

「名古屋ですよ」

ぎょっとしたように、隣で原口が体を揺らすのが見えた。

6

東京や大阪と並び、名古屋も大規模空襲に幾度もさらされた地だった。名古屋は航空機の生産拠点として名高く、三菱重工発動機製作所や愛知航空機の大工場を中心にして、その関連工場が密集していた。そこを攻撃目標に、都合十八度にわたる空襲に見舞われた。

軍需施設への攻撃ということで、使用された弾薬は、焼夷弾ではなく、通常爆弾が中心だった。しかも大工場が多かったために、より大きな破壊力を持つM66二千ポンドやM56四千ポンドという大型爆弾が使用されていた。

旧手島邸の建築責任者であった男が、その完成直後に会社を辞し、しかも手島建設の発祥の地が名古屋だった——。偶然として見すごすには、あまりにも条件がそろいすぎていた。

窓にもたれて黙り込んでいると、運転席から原口が釘を刺すような口調で言った。

「まさか班長、次は名古屋に行こうなんて言うんじゃないでしょうね」

「何だ、分かってるじゃないか」

「無理ですよ。どう考えたって交通費なんか出やしませんよ」

「誰が隊の金で行くと言った」

原口はハンドルから手を離しそうな勢いになった。

「そんな無茶な。もう警察に相談したほうがいいんじゃないですかね」

「警察では、空襲について何も知らない」

「自分らだって、何も知りませんよ。ただ少し不発弾に詳しいだけです。昔の記録を調べるくらいなら、警察にだってできます」

「状況証拠だけで、警察が動くものか。第一、二十五年も前のことなんだぞ。もうとっくに時効だって成立している。——いや、そもそもどんな罪になるのかだって怪しいものだ。不発弾を家の下に埋めたからって、それで絶対に爆発するとの保証はどこにもない」

「保証はなくても、殺意があったも同じですよ。何かあって信管が作動すれば、上に乗っていた家なんて木っ端微塵《こっぱみじん》になる。信管の型から見たって、今まで無事だったのが不思議なくらいじゃないですか」

「そこなんだよ、俺が不思議に思うのは」

「何がです」

「いいか。もし本当に名古屋から不発弾を運んで来たのだとすると、犯人自身もかなりの危険を覚悟の上でしたことになるとは思わないか。不発弾をわざわざ東京まで運んで来てるんだ。わずかなショックでいつ爆発するかも分からない。そんな危険に我が身をさらしながら、ただ埋めておいただけだった。仮に社長を殺したいほど憎かったのなら、どうしてそんな不確実な方法を採ったんだろうか」

「まともに考えてどうするんですよ、班長」

原口が声を高くし、ハンドルをたたいた。

「考えても見てくださいよ。憎い相手が今も不発弾の上で何も知らずに生活している。そんなことを想像しながら毎日すごしているなんて、まともな野郎じゃありませんよ。最初から常識なんか通用する話じゃないんですよ」

なるほど、そうなのかもしれない。

しかし……。

「班長。自分らの任務は、不発弾の処理です」

こちらの胸のうちを深読みし、原口がフロントガラスを見つめながら淡々と言った。その横顔を、高坂は見つめ返した。

「処理するだけでいいのか。なあ、信管を抜き、コンクリート詰めにして海へ捨てれば、それですむのか」

「そうじゃないですか。それが我々の仕事です」

「面倒なものを海に沈めたからって、すべて終わりになるってものじゃないだろ。不発弾が見つかり、昔の忌《い》まわしい思い出までが一緒に掘り起こされることだってある。そのすべてが消えるわけでは――」

「終わりですよ。少なくとも、それで市民の危険は取り除かれます」

「そんなのは、臭い物に蓋をしとけってのと同じだ。もう昔のことだから、誰もが忘れてるだろうからって、おまえは放っておけって言うのか」

「だから、それは警察に……」

「なあ、感情っていうのは、時間で計れるものなのか。時が過ぎれば、それで消えてなくなるってものじゃないだろ」

　厄介物を片づけて、それで終わりにしたくなかった。そこに人の意志があるのなら、真意を確かめてみたい気持ちがあった。

「何言ってるんです。おかしいですよ、今日の班長」

「俺はおかしくなんか、ない！」

　言いながら、自分でも意地になっているのが分かっていた。どこかで君恵との過去が影を落としているのだろうか。

自身に問いかけてみたが、それは高坂にも判然としなかった。

どうやって君恵に離婚を切り出したらいいのだろう。そればかりを考えていたころのことだ。

急に君恵が、ドライブに出かけないか、と言い出した。非番の日に官舎で時間を持て余し、そうかといって家を抜け出して麻里子のアパートへ行くわけにもいかず、昼日中から横になっていた。そんな日の午後になって、君恵が唐突に切り出したのだ。

そのころにはもう、二人で外に出る機会は数えるほどに減っていた。急な切り出し方から、彼女としても何か自分に話があるのかもしれない。そんなふうに思わせるものが、彼女の思い詰めたような表情から感じられた。

「今日は運転したい気分なの」

そう言って、ハンドルは君恵が握った。那覇《なは》から嘉手納《かでな》にかけての海岸線を北上した。風を受け、窓から外に目を向けていながら、高坂は少しも海を眺めていなかった。二人して、いつまでも車の中で黙り合っていた。君恵も景色を楽しんでいる気配はなかった。しきりに高坂のほうを気にしながらも、言葉はなかった。

沈黙に疲れ果て、高坂は覚悟を決めて言葉を選んだ。

「子供ができなかったのは仕方ないと思っている」

君恵はかすかにかぶりを振った。表情は少しも変えなかった。

「子供がなくても仲良くやっている夫婦はいくらでもいる。俺としても、それほど子供を望んでいたわけではなかった」

「もうだめ……」

息が切れたような喘ぎに聞こえた。

「え？」

「もう限界」

「だから、何が——」

問いかけるのと同時に、君恵が小さく「ごめんなさい」と、つぶやいたような気がした。その確信がなかったのは、車が急にふらつき始めたからだった。君恵はまるでハンドルにすがりつくかのように、その上に顔を伏せた。フロントガラスの向こうで、迫る対向車が見る見るうちに大きくなった。

自分が何を叫んだのかは覚えていない。だが、君恵をなじりながら助手席から乗り出し、ハンドルに手をかけたのだと思う。

足元でタイヤのこすれる音が聞こえた。クラクションがすぐ近くで鳴った。記憶にあるのはそこまでだった。体が衝撃を感じ、一気に暗転——。

急に辺りが静けさを増した。左肩の辺りが激しく痛んだ。目を開けると、フロントガラスが粉々に砕け散っていた。ぽっかりと空いた穴の向こうで、抜けるような青空を背に、ひと抱えもあるパインツリーが大きく斜めに傾いでいるのが見えた。

幸いにも、車は道路脇に植わった並木に衝突して止まり、反対車線に飛び出すことも、海へ落ちることもなかった。

誰が呼んでくれたのか、まもなく救急車が到着し、高坂たちは宜野湾《ぎのわん》市の病院に収容された。

シートベルトをしていたのと、並木が多少は衝撃を吸収してくれたせいか、二人は奇跡的に軽傷ですんだ。君恵は胸を打ち、割れたガラスで額を切った。高坂のほうは左肩の打撲とシートベルトによる多少の擦過傷が胸に残った。それでも頭部の検査結果が出るまでは入院したほうがいいだろうと言われ、別の階にベッドが用意された。

それぞれの病室で簡単ながら、警察からの事情聴取を受けた。君恵はショックが大きかったのか、まだ何も言えずにいる、と聞いた。

運転に慣れていない妻のミスだと思います。――高坂はそう警官に告げた。

とても、覚悟の上の故意による事故だとは言えなかった。言えば、その理由を見ず知らずの警官たちに打ち明けねばならなかった。恥をさらす結果になる。

警官たちも高坂の言葉を鵜《う》呑《の》みにしたわけではないだろうが、夫婦のことにあまり立ち入るまいと思ったのか、それほど深く追及してはこなかった。

君恵がそれほどまでに思い詰めていたとは知らなかった。麻里子とのことを悟られまいと注意してはいたつもりだったが、やはり妻の目はごまかせなかったらしい。

ここまで来ては、とても修復はできそうもなかった。自分から正直な想いを打ち明けたわけではなかったが、結果は同じだったかもしれない。君恵もそれを覚悟していた。だからこそ、あんななりふりかまわぬ行動に出たのだ。

妻にすまないとは思いながら、高坂の胸に安堵の気持ちがおりていたのはごまかしようがない。仕方ないではないか。子供のできない理由を自ら確かめ、自分を追いつめたのは、誰でもない、君恵自身だった。

これまでだ。もう、どうにもならない。

明日になって、君恵と顔を合わせ、何を言ったらいいのだろうか。そればかりを高坂はベッドの上で考え続けた。


その夜――。

何かが動く気配を近くで感じ、高坂はふとベッドの上で目を開けた。部屋の明かりは落とされ、病院は静寂の中にあった。

枕元に誰かが立っていた。

最初は悪い夢かと思った。なぜなら、顔のすぐ横に立つその人物は、今にもそれを高坂に振り下ろそうかというように、何かを頭上に振りかぶっていたからだった。

夢ではなかった。冷たいものが、高坂の頬にぽつりと落ちた。涙だった。横に立って両手を振りかざしながら、その人物は泣いていた。

目を凝らし、全身の血が逆流しそうになった。

照明が消えていたので、最初はその人物の輪郭しか見えなかった。が、肩まで伸びた髪の形に覚えがあった。しかも額には、できたばかりの傷を隠すように白い包帯が巻かれていた。君恵だった。

こんな深夜に、階下の部屋にいるはずの君恵が、高坂の枕元で泣いていた。

叫ぼうとしたが、喉から声が出なかった。人を呼ぼうとしたのか、君恵に救いを求めようとしたのか、高坂には記憶がない。

どれだけ闇の中で見つめ合っていただろうか。もしかすると、ほんの一、二秒だったのかもしれない。

やっとのことで、体が動いた。転げ落ちるようにして、毛布を跳ね上げ、ベッドを離れた。君恵のそばから飛び退いた。

隣の患者のベッドに背をつけ、高坂は立ち上がろうとした。点滴用の支柱が倒れ、病院中に響き渡るような騒音が上がった。

それでも君恵は動かなかった。そっと目だけで高坂の姿を追った。夜目によくは見えなかったが、君恵の視線を強く感じた。

廊下を看護婦が駆けて来た。それで君恵は振りかざしていた手を下ろした。ガシャリと重々しい音を立て、何かが床に転がった。

「どうしたんです！」

看護婦によってドアが開けられ、逆光の中に立つ君恵の姿が見えた。

その瞬間、鬼女を見た、と高坂は思った。乱れた髪があちこちではね、つり上げた眉の下で目だけが爛々《らんらん》と冷えた光を放っていた。

逆光だったのだから、そこまで見えたはずはないと今になっては思いもする。だが、その時は確かに見えた気がした。見たと思った。

看護婦が部屋の明かりをつけると同時に、君恵は無言で高坂に背を向けた。足元に転がっていたのは、患者の一人が持ち込んでいた大振りの電気ポットだった。

「高坂さん……？」

看護婦の問いかけにも、君恵は答えなかった。ふらふらと夢遊病者のような足取りで、彼女は一人、病室から出て行った。

7

翌日、高坂は子供が熱を出したと偽って午前中の休みを取り、西新宿にある手島建設の本社ビルを訪問した。社長の手島寛二に面会し、直接話を聞くためである。

朝一番で仮住まいのマンションに電話を入れ、約束を取りつけておいた。受付で名乗ると、革張りのソファの前で、背の高い初老の紳士が待ち受けていた。秘書に案内されてドアを入ると、通されたのは、最上階に作られた社長応接室だった。

「そうですか。あなたのような若い方が、不発弾の処理に当たられているのですか」

手島寛二は、その年代に多い姿勢の良さで高坂を迎えた。髪にはまだ黒いものが多く、伸びた背筋と艶のある肌が歳を感じさせない。が、まもなく七十二歳になろうとする彼から見れば、確かに自分などは孫のような若者に見えただろう。

「それもそうでしょうな。いくら戦争を知っていたとしても、私らのような年寄りでは、もう悲しいかな、手先が利かない。震える手では、爆弾の処理などできないでしょうからね」

しみの浮き出た手をさすり、手島は苦笑を浮かべてソファに深くもたれた。その横手に大きな窓があり、かつての焦土の街から今はビルの林立する大都市へと成長した東京の姿が一望できた。

「電話でもお話ししましたように、以前のお宅が建築された当時のことをお聞かせください」

「五十年前の落とし物だというのに、いろいろと面倒なものですね」

遠回しに多少の煩わしさをにおわせ、手島は言った。

「申し訳ありません。不発弾に装塡《そうてん》された信管の種類によっては、過去にどんな工事が行われたのか、知っておいたほうがいいこともあるのです。工事の種類によっては、長期にわたり不発弾に振動が与えられた可能性もあり、非常に危険な状態になっているかもしれませんので」

訪問の目的は、下村睦郎という部下について訊くためだったが、高坂はまず家に関することを尋ねていった。

会社の資料室に当時の図面が残されていたため、二十四年前の工事内容については詳しく分かった。以前は小さな鉄工場があった地で、敷地内の土には、鉄屑《てつくず》や錆の他、メッキのための薬品などが染み込み、庭木を植えるにはあまり適していなかった。そこで、二メートルほど土を掘り起こし、別の場所から取り寄せた汚れのない土と入れ替えたのだという。

それで、不発弾の埋められていた周囲の土に、微妙な違いのあった理由が判明した。

「その土の入れ替えは、どなたが発案なされたのでしょう」

「どうかな。すべて部下に任せていたからね」

「奥様からは、下村さんという方が指揮を執《と》られたとお聞きしたのですが」

「じゃあ、そうなんだろうね」

手島は素っ気なく言った。気のせいか、それまで浮かべていた笑みがわずかに強張ったような気がした。

「社長さんの片腕だった方だとお聞きしましたが」

「会社を去って行った者を、そうそう覚えてはいられませんよ。うちに何人の社員がいるとお思いです」

片腕とまで言われた男を、いくら昔のことだからと、そう簡単に忘れるものだろうか。現に、仕事をともにしたわけではない夫人でさえ、記憶していたのだ。

「立ち入ったことをお聞きするようですが、下村さんはどうして急に会社を辞められたのでしょうか？」

手島はまを取るように手を膝の上で組み合わせ、高坂を見返した。

「どうしてそんなことを？」

「工事の際に、何かミスでもされたのかと思いまして。もし工事にミスでもあれば、不発弾に何らかの影響を与える場合もありえますので」

自分でも、少しこじつけがすぎるかな、と思った。手島はこちらの真意を測るように高坂を正面から見つめた。それから、黙って卓上のインターホンに手を伸ばした。

「――あ、私だ。二十五年ほど前に辞めた社員で、下村という者がいたそうなんだが、誰か彼と親しかった者がうちにいないか調べてもらえないかな。……そうだ。自衛隊の方が何かお聞きしたいらしい」

自分に何も話すことはない、どうぞお帰りください、そう言われたようなものだった。

やはり手島と下村という社員の間には、何かあったのではないだろうか。だから、下村は手島邸の下に不発弾を埋めた。その事実を手島も、すでに承知している――そうも思えた。

犯人を知りながら、彼は警察へ告発しようとしなければ、高坂に対し、一切の事情を打ち明けようともしない。つまりは、彼自身、そうされても仕方ない、と考えているのではないか。不発弾を自宅下に埋められても仕方ないと考える事情とは、いったい何だろうか。高坂には見当もつかなかった。

手島はじっと窓の外を眺めていた。その視線の先は遠く、ビルの林立する今の東京の姿を見ているとは思えなかった。

やがて、手島はぽつりと言った。

「高坂さんとおっしゃいましたな」

「はい」

「私の生まれ育った名古屋も、空襲に何度見舞われたか分かりませんでね。母親や妹たちと命からがら炎の中を逃げ回った記憶が、今も消えません。この東京もおそらく同じだったんでしょうね」

爆撃回数と使用された爆薬の数量、推定死亡者数から、両都市の被害を比較はできた。しかし、空襲に遭った者の受けた傷の大小を量ることは不可能だった。

「高坂さん。今もどれだけの不発弾が、この東京の下に眠っているんでしょうかね」

「それは私どもにもつかみかねますが」

手島は秘書から返事があるまで、じっと窓の外に目をやっていた。

秘書室が聞き取り調査をした限りでは、今も下村と親交を持っている社員はいなかった。だが、役員の一人が、当時の彼を記憶していた。

下村睦郎は会社創設からの社員で、社長の信任を最も受けていた人物の一人だったという。彼が社を辞めたと聞いた時には、あまりにも突然だったために、社内でも様々な憶測が乱れ飛んだ。会社の金を横領しようとしたのが見つかった、いや、女で失敗をしたらしい、株に手を出し夜逃げをしたようだ、等々。表向きには、独立のために会社を去ったはずだったが、その後、下村が会社を興したとの噂を聞いた者は誰もいなかったからである。いずれにせよ、信頼を寄せていた会社創設以来の社員を、手島が記憶していないはずはなかった。が、沈黙を通そうとする手島の口を開かせるためには、それ相応の新たな情報が必要に思えた。

これはやはり、名古屋まで足を運んでみなければならないようだった。

その二日後、非番を利用し、高坂は一人で名古屋へ向かった。正式な処理の日取りが五日後に決定し、隊では連日遅くまでミーティングを開き、信管除去作業の手順の詰めにかかっていた。中には非番をつぶして隊に出ている者もおり、心苦しさはあったが、ここで調査をやめるわけにはいかなかった。

手島建設名古屋支社と連絡を取り合い、すでに退職した者の中に、当時の事情をよく知る人物がいないかどうか、問い合わせていた。二年前まで名古屋支社長を務めていた相沢幸平《あいざわこうへい》という人物が、名古屋時代から社長の側近を勤めていた、との回答があった。

相沢幸平は、支社長から支社付きの監査職に退き、今は週に二度出社するだけになっていたが、高坂の訪問に合わせ、わざわざ社で待ち受けてくれた。

「社長の自宅の下から、五十年前の置きみやげが見つかるとは驚きましたよ」

相沢幸平は歳に似合わぬ力強さで握手を返すと、高坂を応接室へ案内した。下村睦郎と同じく、今年七十一歳になるという。相沢は、高坂たちの仕事に興味を持ったようで、しきりとご苦労様です、を連発した。

「自衛隊の方も大変ですな。私らよりもさらに上の連中がしでかしたことで、今も駆けずり回され、危険な目に遭わされているのですから」

「いいえ。日本という国が招いた結果だと考えております」

高坂は運ばれてきたコーヒーに口をつけ、早速、下村について尋ねた。

「ええ、覚えていますとも。生真面目《きまじめ》すぎる男でしたよ、下村は」

老人の顔に昔を懐かしむ皺《しわ》が増えた。

彼は当時の写真を一枚探し出してくれていた。セピア色に変色し、表面がところどころはげ落ちた見るからに古めかしいもので、どこかの建築現場の前で撮った集合写真らしい。若い手島社長を中心にして、その隣に相沢が腰に手を当て立っていた。自分らの仕事を誇らしげに思う笑みを見せる者たちの中、最後列の左端に、一人ヘルメットをかぶり、所在なげに立つ男の姿があった。それが下村睦郎だった。

「建設を長く手がけていると、現場では図面通りにいかなくなってしまうことも時には出てきます。図面を優先させようとすれば、どうしても予定が遅れてしまう。そこで辻褄合わせのような、小さな変更が現場で行われたりします。彼はそういった妥協を許そうとしない男でした。ある意味では仕事に忠実な社員だと言えたのでしょうが、少し融通というのですかな、機転のきかない面があり、我々を困らせたことがありましたね」

「東京へ行ってからは、本社ビルや社長の自宅を建てる指揮に当たられたとか」

「そうそう。本社ビルはともかく、社長の自宅のほうは本部長自らが陣頭指揮に当たらなくてもいいかな、とは思ったのですが、どうしても彼がやらせてくれと言い出しましてね」

下村が自らその指揮を名乗り出ていた——。

「あまり自己主張をするタイプではなかったので、珍しいこともあるとは思ったのですが、あとになって考えれば、せめてもの恩返しの意味があったのかもしれません」

「その時には、すでに辞める覚悟でいたと」

「ええ。本社の完成と同時に辞表を出したのですから、そうとしか私には思えなかった」

「社長さんと何か意見の衝突でもあったのでしょうか」

老人は口元をなで、少しだけ考え込むような表情になった。

「生真面目すぎる男でしたからね。たとえ相手が誰でも、筋の通らないことには、面と向かって異を唱えたものです。最古参の社員でもありましたから、社長にはよくずけずけとものを言ってましたよ。けれど、社長もそれを受け止め、信頼していたように私らには見えましたね」

「先日、社長さんからもお話を聞いたのですが、会社創設以来の社員だというのに、下村さんのことを記憶にないと言うのです。どう考えても、不自然なように思えて仕方なかったのですが」

老人は頷き、コーヒーカップを静かに口に運んだ。

「社長からすれば、ある種、裏切られたという思いがあったのかもしれません。しかし、独立したいと言われてしまえば、その芽をつぶすようなことは、社長にもできなかったのだと思います」

「つかぬことをおうかがいしますが、こちらでの建設途中に、不発弾が出たことはなかったでしょうか」

老人の目が見開かれた。

「いえ、過去にそういった事例があれば、もう少し土壌の調査を入念に行うとか、対処の仕方もあったのではないか、と思いましたもので」

言い訳を口にしたが、どれだけ納得してもらえただろうか。

相沢はテーブルに置いた写真に目をやり、ややあってから口を開いた。

「少なくともうちの社ではなかったはずです」

「他の社ではあったと？」

「そんな記憶があります。ニュースで何度か聞きましたからね」

高坂の想像した通りに、下村がもし本当に不発弾を手島邸の下に埋めたのだとすると、それをどこから入手したのかが問題になってくる。終戦直後から名古屋地区で手広く建設業を手がけていた彼らなら、工事の際に不発弾を掘り当てていたとしても何ら不思議はなかった。

不発弾が発見されれば、工事はその時点でストップする。不発弾の恐ろしさを知らないために、すべて掘り出してから警察に通報する者がいないわけではなかったが、中には、工事が遅れるのを嫌い、知らぬ振りを決め込み、勝手に掘り出したとしか思えない確信犯の者もいた。下村に、同じようなケースがなかったとは言えない。しかし、それをなぜ、社長の自宅下に埋めたのか……。

社長を憎んでいたのなら、そんな不確実な方法を普通は採らないだろう。不発弾が自然に爆発したケースは少ない。あの不発弾の周囲に、爆破を促すような仕掛けがあったとも思えなかった。それでも下村は、不発弾を埋めた。自らその工事を受け持ち――。

「工事の途中か、または終了後に、ガス爆発とかが発生したことはなかったでしょうか」

「は？」

唐突な質問に思えたのか、相沢が首を突き出し、要領を得ない顔つきになった。

「不発弾が地中で爆発した場合、時にガス爆発と間違えられるケースがないわけではありません。特に、不発弾があまり見つかるような場所でないと、ろくな検証が行われない場合もあります」

終戦直後の混乱期であれば、それはなおさらだったのではないだろうか……。

「どうですかね」

相沢は盛んに首を傾けた。目をしょぼつかせ、自信なさそうに続けて言った。

「ガス爆発はなかったと思いますね。そういった事故があれば、社内でも話題になったでしょうし。うちで問題になったのは、崖崩れくらいのもので――」

「崖崩れ？」

「ええ。うちで手がけた住宅地の裏で崖が崩れましてね。うちの工事が原因で、辺りの地盤が弱くなったのではないか、という言いがかりのような指摘を受けたことがあります。しかし、因果関係はないとして、裁判にもならなかったはずだと思います」

「それは、いつのことです」

相沢は白髪まじりの眉を跳ね上げると、すぐに大きく頷き返した。

「ああ。そう言えば……本社を東京へ移したらどうか、という話が出始めたころでしたかね」

8

その新聞記事は、図書館に保存されていた縮刷版をたどり、すぐに見つけられた。昭和四十五年十月二十三日の夕刊だった。

『がけ崩れで死者二名

二十三日未明、守山区小幡二―三―×の松浦志摩夫さん（38）宅の裏のがけが崩れ、松浦さん宅が土砂に埋まった。志摩夫さんは自力で脱出したが、妻の昌子さん（33）と長男の武彦くん（14）が生き埋めとなり、消防団と警察による救出活動が行われたが、午前九時四十分、二人は遺体となって発見された。

守山区消防本部では、昨夜からの豪雨のため、付近一帯にがけ崩れに対する注意を呼びかけていた矢先の出来事だった。』

手島建設を去った下村は、社員と一切の連絡を絶っていた。当時の住所は名古屋市中川区で、東京本社ビル建設のために、下村だけがしばらく単身で東京に住んでいたという。当時の住所にすでに下村の自宅はなかった。就学期の子供があれば、過去の転校記録を調べ、住所をたぐる方法もあったが、下村夫婦に子はなかったという。

名古屋市内の電話帳を取り寄せ、下村睦郎の名前を探していった。自分の想像が当たっていたなら、彼はおそらくこの名古屋を離れていないのではないか。その確信が、高坂にはあった。

名古屋市内に下村睦郎は、三人いた。その二人目で、探していた元手島建設社員の下村睦郎にたどり着いた。

下村睦郎の自宅は、守山区の西にあった。二十六年前に崖崩れの被害にあった松浦家とは、同じ区内に当たる。しかも、直線距離にして、十キロほどの地だった。やはり下村は、この名古屋から――松浦家から離れてはいなかったのだ。

裏手に森林公園の林が間近に迫る住宅地のはずれに、下村家はぽつりと一軒だけ街に背を向けるようにして建っていた。右手が水路で、周囲はまだ畑が多い。その向こうには、遠く駅前の街並みが見えていた。

庭木の立て込んだ狭い庭で、麦わら帽子をかぶった一人の老人が汗をふきながら芝を刈る姿があった。それが、探していた下村睦郎その人だった。

陸上自衛隊不発弾処理隊の者だと名乗ると、下村は腰を伸ばして帽子を脱ぎ、まるで待ち受けていたかのように深く頷《うなず》いた。腰に下げたタオルを手に取り汗をぬぐうと、板のそり返った縁側へと手を差し向け、彼は黙ってそこに腰をかけた。

「遠いところから、ご苦労様でした」

西陽を受けた顔からは、どこかしら覚悟のような気構えが感じられた。開け放った戸の向こうに、居間らしき部屋が見えた。奥に小さな仏壇が設えられ、五十代と見える女性の写真が飾られていた。

言葉を待つような目で見返す下村に、高坂は言った。

「五日前、川崎市幸区にある手島寛二さんの改築中の自宅下から、五十一年前日本に投下されたM66二千ポンド通常爆弾が不発弾として発見されました」

皺に囲まれた目をしっかと開き、下村は高坂の顔を黙って見上げた。

「これはあくまで私の想像にすぎません。それに、何分古いことですので、罪に問えないかもしれません。ですが、不発弾の処理という任務上、どうしても私には見すごすことができませんでした。……二十四年前、あなたは当時勤めていた手島建設の東京本社ビルの建築に伴い、その本部長に就任すると、手島邸の建設も指揮を買って出た。その基礎工事の最中に、あなた方がこちらで見つけた不発弾を東京まで運び、密かに埋めた。それは、会社存続のため、自分たちの犯した罪を認めようとしなかった手島さんへの見せしめのためだった。そして、あなたの罪の意識の表れでもあった――」

下村老人の痩せた肩が、張りつめていたものを払うように大きく下がった。

やがて、細い声が喉から洩れた。

「お若いのに、昔のことを実によく調べたものだ」

「名古屋支社長だった相沢さんから、例の崖崩れの話をお聞きしました」

「それだけで、かね……？」

ちょっと驚いたように老人は目を見張った。

「あの不発弾が、川崎では本来見つかる可能性が薄いことは、米軍が残した資料からつかめました。何者かがそれを埋めたのだとすれば、二十四年前の工事関係者だと見ていいでしょう。しかも、その責任者だったあなたが、工事終了後に会社を辞めていた。偶然としては見逃せませんでした」

下村は、まるで他人事のように淡々と頷き返した。

「なるほどな。考えてみれば、確かにそうだ。もう少し会社にとどまっていればよかったのかもしれない」

「あの崖崩れは、不発弾の誘爆によるものだったのですね」

老人はうつむき、膝に置いた麦わら帽子の庇《ひさし》の端を強く握り締めた。

「私には……そうとしか思えなかった」

声に無念の気持ちがこもっていた。

「この名古屋で、あなたと手島さんは、開発事業を手がけていた現場で不発弾を掘り当ててしまった。しかし、それを届け出たのでは、処理のために時間が取られ、工事が遅れてしまう。その間、余計に人手や器材を確保し続けなければならず、人件費や造成費用がかさむことになる。そこで、あなた方は密かに不発弾を処理しようとした」

「あのころの会社は自転車操業が続いていてね。少しでも早く宅地を売り、まとまった金を手にしたかった。不発弾の処理で余計な時間を取られてはたまらない。そう考える社長の気持ちは、下にいる私にも理解はできた」

「それで、発見した不発弾を、あの崖下に埋めたのですね」

老人は力なく首を横に振った。

「埋めたのなら、まだしもよかった……。そうじゃないかね？　五十一年もの長きにわたり、何事もなかったのだからね」

「では――」

「あそこには、戦時中の防空壕が残っていたんだ。崖崩れのあとも、そこが崩れ落ちて土砂が大量に流れ出たため、被害が大きくなったのだろうと見られたらしい。会社にとっては、それが幸いした。社長も、必死になってただの崖崩れだと信じたかったみたいだ。――それはそうだろう。不発弾を掘り出しながら、自分らの造成した宅地のすぐ裏に捨てたんだからな。その事実が知れてしまえば、少しずつ築き上げてきた会社の信用は、あっけないほど地に落ちたに決まっている」

おそらくは、折からの豪雨により、防空壕が崩落を起こし、不発弾の信管に衝撃を与えてしまった――その可能性が高いだろう。

「会社の中で、不発弾を隠した事実を知っていたのは、あなたと手島さんの二人しかいなかったのですね」

「社長の指示で、私が密かに防空壕の中へ運んだ。当時は、それが会社のためだと私も考えていた。まさか、十五年も経って爆発するとは……」

苦そうに語尾を呑んだ老人の口元の皺が、一層深くなった。

「それ以外にも、あなた方は不発弾を発見していた。そのひとつを掘り起こし、手島邸の基礎の下に、あなたは埋めた」

下村は一度唇を噛むと、それからやっと頬を震わせ、口を開いた。

「どうして自分たちばかり……。あの時はそう思ったよ。続けざまだったからね。仕方なく、二度目の時は近くの涸れ井戸に埋めておいた」

下村老人は詫びるように頭を垂れた。

「今さら何の言い訳にもならないだろうが、あくまで会社を守りたいとする社長の気持ちは、私にも分からなくはなかった。会社を作った当初とは違い、あのころはもう三百名近くの社員を抱える中堅企業に成長していた。列島改造のブームに乗り、業績を倍々ゲームで増やしている時でもあった。そんな時期に、誰だって会社をひっくり返すわけにはいかない」

「しかし、あなたには、事件を隠そうとした社長が許せなかった」

「そんな格好のいいことではないんだよ。私だって加害者なんだ。社長一人を責められはしない。しかも……自ら警察に打ち明けることもできなかった。それをすれば、家族までが責められるだろう。会社の仲間からも非難を浴びる。私にはそれを受け止めるだけの勇気がなかった。だから、せめて――」

息をつき、下村老人は土に汚れた手で、皺だらけの顔をなでた。

「何の償《つぐな》いにもなりはしないのにな……。けれど、私にはそれぐらいのことしかできなかった。自分らを同じような状況に置く以外には……」

自分らを、同じような――。

高坂は息を呑み、下村家の狭い庭を見回した。周囲は畑や雑木林で、隣接する民家はなかった。

「まさか……。井戸に埋めた不発弾は……」

「——ああ、二発あったよ」

老人は当然のように頷き、あっさりと恐ろしい答えを返した。

「女房が亡くなり、一人になってしまったから、そんなことができたのかもしれない。手島には家族がいたっていうのに……罪もない者が死んだのだから、それと同じ危険にさらされるべきだなんて、勝手な言い訳を作っていた……」

一発は、手島邸の下に。

そして、もう一発は——。

「あんたは知らないだろうが、名古屋もそれは一面の焼け野原だった。そんな私らの生まれ育った町の復興に、少しでも協力ができればと思い、手島と二人で会社を作った。戦後の混乱期でもめ事も多かったが、地をならし、家を建て、町を興《おこ》すのが私らの夢だった。それが……いつのまにか、会社を存続させるのだけが目的になっていった。大きくなればなるほど、会社は私らの志や夢など、あっさりと呑み込み、勝手に動き出した。いつしか、私も手島も、会社に動かされる人間になってしまった」

畑の向こうに、かつては焼け野原だったのだろう街が広がっていた。下村老人は、五十年前のこの地を見るかのような遠い目をして続けた。

「きっと軍隊もそうだったんだろうな。そこで働く者たちの志などあっさりと呑み込み、ひたすら戦争へと走って行った。そうじゃないかな？　戦争がなければ、軍なんてものは、もとより必要はないのだからね」

高坂は姿勢を正し、下村老人に断った。

「電話を拝借させていただいてもよろしいでしょうか」

彼は何も言わなかった。古い友を見るような目で、畑の向こうに広がる街を見ていた。無言を承諾と勝手に受け取り、高坂はそっと縁側から居間へ上がった。足音を忍ばせたつもりだったが、畳の下で、ミシリときしみが上がった。そろそろと台所のガラス扉の前に置かれた電話台に近寄り、受話器を取った。

そして、この下の地中に埋まっているであろう不発弾について報告するため、伊丹《いたみ》の中部方面総監部へ電話を入れた。

9

前略　お手紙懐かしく拝見いたしました。お元気のようで何よりです。お蔭様で祐太も五歳になり、ご推察の通りのやかましい盛りとなりました（まだ下の子供は産まれておりませんが）。

ご結婚、本当におめでとうございます。心よりお祝い申し上げます。振り返れば、自分のいたらなさばかりが思い出され、貴女にはお詫びの申し上げようもありませんが、馬鹿な男と過ごした日々をせめて反面教師とし、少しでもよき家庭を築き上げていただきたいと思います。人の心を何よりも思いやる貴女ですから、きっとそれを成し遂げられることと確信しております。別便にて、心ばかりのお祝いの品を送らせていただきました。どうぞ、ご笑納ください。

さて、貴女にとっては、もう思い出されたくないことかもしれませんが、やはりどうしても、あの時のことについて書かせてください。いつか貴女に伝えなくては、と思いながら、今日まで果たせずに参りました。今さら何を言っても言い訳にすらならず、身の縮む思いですが、どうか身勝手で馬鹿な男のことだからと笑い、この先を読んでいただけたらと思います。

あれは、今の女房と一緒になり、半年ほど経ったころだったでしょうか。貴女もご存じのように、妻は隊の近くの酒場で働いていた女ですから、私の仕事は百も承知で一緒になり、ある程度の覚悟は最初からしていたはずでした。しかし、いざ一緒になってみると、官舎でたった一人、処理に出た夫を待つ身が予想していた以上に辛いものだと分かったようでした。そして、ある時、私に言ったのです。

妻は夫の健康を祈るのが普通よね。だけど、私は最近、あなたが怪我をすればいい、と思うようになったわ——と。

どういうことかと聞くと、妻は言いました。

だって、あなたが怪我をすれば、今の仕事から外されるでしょ。そういう見方があったのか、と私はその瞬間、私はもう少しで息が止まるところでした。

初めて知らされました。

そう考えてみると、あの時貴女の言った、もう我慢できない、との言葉も、私の裏切りに対してではなく、夫の帰りを待つ貴女の立場に対して、のようにも聞こえてきたのです。

いえ、それより何より、あの夜のことです。貴女は確かに私の枕元に立ち、凶器になりそうな物を振り上げましたが、いくら何でも女性の細腕で、私を亡き者にするのは不可能だったはずです。せいぜい腕の骨を折ってやろうとするのが精一杯ではなかったでしょうか。しかもあの事故の際、私たちはシートベルトを締め、対向車とまともに正面衝突でもしない限り、一緒に死ねなかったとしか思えない状況でした。

私が骨折などの重傷を負えば、たとえ一時的にせよ、隊から外されるのはまず間違いありません。うまくすれば、よそへの異動もあり得たでしょう。たとえ夫が怪我をしたとしても――万が一後遺症が残ったにしても――それでも爆死するかもしれない危険からは、間違いなく逃れられる。戦時中でもないのに、ひたすら無事を祈りながら夫の帰りを待つ身の妻が不安を募らせ、夫を思いやるあまりにそう考えなかったと、誰が言えるでしょう。それなのに、妻を裏切っていた男は、ひたすらその視線を恐れ、びくびくとしていた。だから、彼女の本当の気持ちに気づけなかった。そんな男は、愛想をつかされ、離婚されたとしても仕方ありません。馬鹿な男は、妻が夫の裏切りを知り、それに耐えられなくなって心中を企てようとしたのだと思い込んだ。しかも、妻がその罪の意識から離婚を承諾したのだろう、と勝手に納得した。

どうしようもない身勝手で馬鹿な男です。そんな男に一時期でも尽くそうとしてくれた女性が哀れに思えてなりません。恥ずかしいやらあきれるやらで、言葉もないとはこのことです。

先日、ある不発弾の処理で、二十六年前の罪を、今も必死に受け止めようとする老人と出会いました。その人は自分で自分を許せず、かといって罪を打ち明けることもできず、二十四年にわたって不発弾の上で暮らしてきました。そんな行動を、自己満足にすぎないと笑うことが私にはできませんでした。何年経とうとも、それは自らが背負い、受け止めていかなければならないものなのでしょうから。貴女を裏切り、そのうえに本当の気持ちに気づけなかった馬鹿な私に、では何ができるのかと問われれば、返す言葉もありませんが、せめて自分なりに深く貴女とのことを胸に刻み、今後は決して人を裏切るまいと心に誓うのみです。

どれだけここにお詫びの言葉を書き連ねたとしても、あなたから許されることではないと思います。その代わりというわけではありませんが、せめて一言だけ貴女にお礼の言葉をここに書かせてください。

こんな私を思いやってくれて、本当にありがとうございました。貴女のことは決して生涯忘れません。

お祝いの言葉を述べるつもりが、少し長くなりました。ご結婚、本当におめでとうございます。どうぞ、末永くお幸せに。

貴女の幸せを祈念しつつ　高坂透

九月二十一日

津田君恵様

余炎

1

暮れゆく空の下をサイレンの音が埋めていた。道を行き交う人々が立ち止まっては車を振り返る。自転車にまたがった子供が方向を変え、後ろについて来ようとするのがサイドミラーの端に映った。

「——消防指令より武蔵野ポンプ1並びに2へ。現場《げんじょう》着次第、保谷《ほうや》指揮1の指示に従え」

「——武蔵野ポンプ3、すでに現着しています」

「——こちら保谷ポンプ1。現場アパートの北部隣接道路より放水を開始します」

「——指令室、放水開始了解。十八時六分」

指令室からの無線が車内に響き渡っている。それを後部座席で聞きながら、私は防火衣の襟《えり》を喉元《のどもと》まで締め上げた。いつの間にか掌《てのひら》に汗がにじみ出ていた。そっとシートの縁《ふち》でぬぐい、手袋をはめた。

新人でもあるまいし……。

独り言のように口の中で呟《つぶや》いた。そう、初めて現場へ向かう新人ではない。自分に言い聞かせようとするあまり、いつしか声が出ていた。車内はサイレンの音と無線の連絡報が渦巻いている。誰に聞かれる心配はなかったが、つい声を出してしまった自分が私は信じられずにいた。

出火報は十七時五十六分に入った。情報センターの受理台が119番通報を受けると、その発信地区内すべての消防署と出張所に「出場予告」が出される。大泉署の管内では、先月の中旬から放火と見られる不審火が続いていた。出火報は保谷市からのものだったが、一連の不審火は、市境に近い大泉台の西地区で発生していた。案の定、その三十秒後に正式な「出場指令」が大泉署にも下された。

「――消防指令より大泉ポンプ1並びに2へ。現場付近混雑のため、大泉通りを経て南から向かわれたい」

「――大泉ポンプ1、了解しました」

助手席で無線マイクに答えながら、武石小隊長が管内の地図を広げた。

火災現場は保谷市下保谷六丁目。木造アパートの一階から出火。取り壊しを控えており、住人はすでに転居ずみとの情報が、今のところ唯一の救いだった。だが、それは同時に、放火の可能性を物語っている。不審火との距離も近い。市境をはさんだ、すぐ隣町と言える地区だ。一連の不審火との関連は、もうぬぐえないように思える。いや、それよりも――。

武石の肩越しに地図をのぞいた。耳の奥が熱くなるのを感じた。予告報を耳にした時から、こちらのほうが気になっていた。だが、こうしてあらためて地図を見ると、通りを二本はさんだ、まさに目と鼻の先だった。やはり近い。

私は深く息を吸うと、右ドアの横に座る岩本文哉の顔を横目で探った。彼は気づいていないのだろうか。

岩本はこちらを見ていなかった。現場へ向かう車内では、誰もが炎へ向かう心構えに余念がない。防火衣とヘルメットに異常はないか、到着後の手順はどうする、それらを頭の中でくり返し、気力をかき立てていく。それが私たちの仕事だった。

現場が近づく。空を見上げた。窓から乗り出しても、暗い雲間に炎の照り返しは見えない。無線からは次々と、先着隊による消火活動の様子が伝わってきている。だが、たとえ炎を確認できなくとも、余炎がくすぶり続ける場合はある。

指令室から指示された路上は、すでに先着隊のポンプ車と野次馬でごった返していた。住宅街とあって、人出が多い。保谷署の情報担当隊員が拡声器と黄色いロープを手に走り回っていた。が、一人で抑えきれる数ではなかった。先着隊のポンプ車が四台。その先に見える木造二階屋が出火元のアパートだろう。炎は見えない。暗い空へ溶け込むように幾筋かの煙がうっすらと立ち昇っている。

「直井、岩本。放水カーの準備だ！」

武石小隊長がドアに手をかけ、声を張った。現場に近い消火栓は、もう先着隊が使用している。放水に出るとなれば、このポンプ車を中継させる以外に方法はない。

ヘルメットを深くかぶり、車外へ飛び出た。辺りには霧のような水しぶきが舞っていた。

サイレンが収まると同時に、喧噪《けんそう》の中、先着隊の放水音が耳に届いた。

仲間たちが炎に立ち向かっている。もう周囲の目を気にしている時ではなかった。

武石が手を広げ、近づこうとする野次馬を制した。その間をぬって走った。もう岩本はポンプ車の後ろに回り込んでいる。遅れて小久保啓治が、さらには若い奥村重則が私たちの後ろに続いた。

リアシャッターに飛びつき、ハンドルをつかんで引き上げた。中には、九百六十リットルの水とともに、六十五ミリ径の消火ホース十六本を搭載した電動式の放水カーが収められている。ポンプ車の入れない路地へホースを伸ばすためのミニカートである。

小久保と奥村が呼吸を合わせ、リフトごと車外へ引き出した。私は放水カーのカーゴに手を伸ばし、ホースの先をつかみ取った。岩本は素早く、バルブ口へ走っていた。少し遅れた。ホースを引き、私もポンプ車の横へ回り込んだ。手早くバルブを装着する。

「装着完了！」

「放水カー、出します」

確認呼称とともに、小久保が放水カーをスタートさせた。ホースを手に、私は岩本と争うように先着隊のポンプ車脇を駆け出した。

「準備やめ。鎮火報だ！」

武石が前に走り込んで来た。投光器に照らされた瓦屋根《かわら》の上空に、もう煙は見えなかった。つい今し方まで耳をついていた放水音も、いつのまにか辺りの喧噪にかき消されていた。

「十八時三十二分、先着隊が鎮火確認に入ったそうだ」

武石が手を上げ、待て、との合図を送った。もう片方の手でイヤホンの押し込まれた耳を押さえた。肩に装着したマイクに向かって答えた。

「大泉ポンプ1、了解しました」

指揮隊からの正式な報告が入ったのだ。武石の目元が穏やかになった。それを見て、私も肩の力を抜いた。足元から緊張が解けていくような安堵感を覚える。

「小隊長。火元の情報は入りましたか」

岩本が表情をゆるめず、武石に歩み寄った。

私もその答えが知りたかった。火元が台所や配電盤の近くならば、火の不始末や漏電など、失火原因の予想はつく。小久保と奥村も、私たちの顔から察したらしく、それとなくこちらに歩み寄って来た。

部下たちの視線を浴び、武石が口元を引き締め、首を振った。小久保が進み出るようにして木造アパートに目を向け、確信ありげに言った。

「間違いないですよ。また——放火でしょうね」

「迂闊《うかつ》なことを簡単に口にするな。あとは先着隊の仕事だ。さあ、撤収するぞ」

たしなめるように言い置き、武石は足早にポンプ車へ戻って行った。それを小久保が、なおも不服そうな目で見送っていた。

彼の不満は分からないでもない。武石とて、察してはいる。だが、立場上、それをみだりに認めるわけにはいかないのだ。隊の誰もが確信していた。先月の十九日から今月の十日にかけて、連続して五件の不審火が発生している。しかも、その大泉台西地区と今日の現場は、距離にして三百メートルも離れていなかった。

幸いにも、まだ市民に死傷者は出ていない。ゴミ収集所や民家の庭を焼く小火《ぼや》が多かったせいもある。だが、今月に入ってからの不審火は、徐々に小火と呼べる規模ではなくなっていた。区民センターの物置小屋、そして今日のアパートと、消火作業に手間取れば、被害はもっと広がっていたはずだ。不審火の火元が、確実に建物へ移ってきている。

「分かりきったことなのに。だいたいどうして誰もいないアパートから火が出るっていうんだよ、なあ」

小久保は若い奥村をつかまえ、まだ何かぶつぶつと言っていた。その肩を私はたたいた。

「ほら、撤収にかかるぞ。うちの隊が引き上げないと、よその隊が迷惑する」

消防士長という立場から、武石の指示に従ったわけではない。私自身、早くこの場から立ち去りたかったからだ。

鎮火はしたが、確認作業のために保谷署の隊がまだ動き回っていた。それを見物しようという野次馬の群も辺りには多い。遅れて到着した大泉隊の周囲にまで、見物人たちの目があった。

先ほど地図をのぞいて確認したように、ここから由希子のアパートまでは、通りを二本しか隔てていない。消防活動には、所轄《しよかつ》の内外を問わず、最寄りの署所が出場する。勤務サイクルさえ合えば、ここに私が来ているかもしれない。そう彼女なら、見当をつけられた。

先頭に立ってホースをまとめた。バルブを外し、一本ずつ端から丸めていく。二本目に取りかかったところで、さりげなく隣に岩本がすり寄って来た。

「直井。おまえ、新人みたいに緊張してたな」

耳元でからかうように、ささやかれた。やはり岩本は気づいていたのだ。由希子のアパートがこの近くにある、と。彼なら知っていても当然だった。

「うまくいってるんだろうな」

少なくとも彼には、私にそう問える権利があった。

「何とかやっている」

言葉を濁し、作業を続けた。岩本もそれ以上は深く訊こうとしなかった。訊けば、苦い思いがさらに深くなる、と思ったのだろうか。

何とかやっている。自分で言いながら、笑いたくなった。岩本の前で虚勢を張る必要がどこまであるというのだろうか。

私のほうから電話をしなくなって、もう二週間になる。由希子からの電話は一度あった。彼女は自分から、逢いたい、とは言い出さなかった。

「すまない。先月から管内で不審火が続いている。このところ非番の日にもパトロールに出ていてね。時間ができたら電話をするよ」

「いいのよ、気にしないで」

それだけ言って、彼女は静かに受話器を置いた。答えを予想したかのような、あまりに落ち着き払った物言いに、嘘をつかなくてもいいのよ、と言われたような気が私はしていた。隊員たちで自主的にパトロールをしていたのは事実だった。だが、単なる言い訳にすぎなかった。隊員が非番をすべてつぶしているわけではないのだから。

――サイレンの音を聞くと、体が震え出すの。あなたが炎に向かってるんじゃないかって、不安でたまらなくなる。

熱い息とともに聞いた、由希子の言葉が思い出された。彼女たちのアパートにも、当然、今日のサイレンは聞こえている。彼女はもう仕事から帰っていただろうか。

一刻も早くこの場から立ち去りたかった。こんなところで彼女と出くわし、どんな顔をすればいいのか分からなかった。

——子供がいるの。

初めて私のアパートへ来たその夜、由希子は思い詰めた顔でそう口にした。

彼女としても、切り出すタイミングをずっと計り続けていたのかもしれない。そうでなければ、私の気をはぐらかすようにして、明日までに片づけないといけない仕事があるの、と言い出し、いつもそれを先送りにしていた意味がつかめなかった。

彼女のためらいがちな気持ちの裏には、岩本への遠慮や後ろめたさのようなものがあるのだろうか、と私は考えていた。

そもそも由希子と最初に知り合ったのは、岩本だった。所轄の沿線に、彼らとよく飲みに出かける小さなバーがあり、そこに彼女も、勤めていた編集プロダクションの仲間と来ていた。

由希子も岩本も、はっきりと認めたわけではなかったが、最初のころには二人して何度か食事を重ねていたらしい。あとになって、私に聞こえるような声でささやく店の客がいた。露とも知らなかった。結果として、横から彼女を奪うような形になった。

由希子も最初は、私と岩本が同僚だとは知らなかったようだ。私たちは外で仕事の話をしなかった。酒を飲む時ぐらいは仕事を忘れ、心から緊張を解き放ってやりたかった。仕事のことを話したがらない私に、由希子が不思議そうに尋ねてきたことがあった。その顔が一瞬の驚きに染まったのを、今も私は覚えている。

どこかで岩本とのことが、まだ引っかかっていても仕方はない。そう考えていた。と同時に、私にはもうひとつの誤解があった。

由希子は友人が興した編集プロダクションの手伝いをしていた。仕事柄《がら》、時間が不規則なうえに、よく外へ出る。だからと言い、彼女は会社が支給してくれたという携帯電話の番号を教えてくれた。それを頭から信じ込んでいた。

「明日は週休なんだ。泊まっていかないか」

その日、食事を終えて私が切り出すと、由希子は少しためらうように視線を泳がせ、やがて小さく頷《うなず》き返した。まさか、彼女からも打ち明けたいものがあり、自分の胸にそれを確認しようとする仕草だとは思わなかった。

「──今まで黙っていて、ごめん。噂で聞いて、知ってるかと思ってたんだ。でも、そうじゃなかったんだよね。もっと早く言うべきだったかもしれない」

まるで別れを切り出すような張りつめた口調で、彼女は言った。

「私──子供がいるの」

それは、私の前でフェアな態度を保とうとしての言葉だった。そうなったあとで打ち明けたのでは、お互い傷つくものが大きくなる。

その時の私は、どんな顔をしていただろうか。驚きは隠せなかったと思う。なるべくして私は由希子に惹《ひ》かれたのだ。そう思い知らされた。記憶の奥へ仕舞い込んでおいた痛みとともに、懐かしい母の笑顔が胸に甦《よみがえ》ってきた。

疼《うず》きそうになる痛みを押し隠し、私は精一杯に微笑んで見せた。

「男の子……かな？」

「ううん。女の子」

少しは救われたような気がした。男の子では、昔の自分と比べてしまいそうになる。

今時、結婚に失敗した者はどこにでもいるし、私も人を傷つけた過去を持たない純情な青年とはほど遠い。三十をいくつもすぎたいい歳をして、女を部屋へ誘いながら、子供がいると知ったとたんに冷たく追い返すのでは、男としてあまりにも度量がなさすぎた。彼女はある種の覚悟を胸に、それを告げた。男としての覚悟は自分にないのか。そうも思った。

その場の勢いも、いくらかあったかもしれない。だが、どんな男と女も、何かしらの勢いに頼りたくなる時はある。

私は言った。

「子供を作る手間が省けた」

由希子の目に、それまで胸にためていたものが涙と変わってにじみ出てきた。体を寄せた彼女を抱きとめ、私は思った。

恐れることはない、と。由希子に似た子供ならば、きっと可愛がれるはずだ。

心からそう思った。その気持ちに嘘はなかった。

2

当番明けの休日を、意味もなくだらだらとアパートに閉じこもるようにして過ごした。この二週間というもの、自主パトロールに出る以外は、そんな非番が続いていた。

昨日の火災は、地方版の片隅に小さな囲み記事となって載っていた。放火の可能性があると見て、警察と消防で調べている。新たな情報は何もなかった。どこからも電話はなく、こちらから受話器に手を伸ばすこともなかった。

翌日は日勤日に当たっていた。

東京消防庁では、警防課の消防隊と救急隊に三部制を導入していた。一部隊から三部隊までで三つの隊を編成し、三交代で二十四時間、緊急時に備えている。私の所属は二部隊で、日勤時には防災訓練の計画立案と指導管理の仕事を任されていた。

更衣室で制服に着替えて二階へ上がった。予防課のデスク前に、武石小隊長の顔が見えた。査察係長の北野と、朝から渋い表情を作っていた。

「どうでしたか、小隊長」

挨拶《あいさつ》もそこそこに、私は武石の背中に声をかけた。一昨日に出場した火災の原因調査が、保谷署と警察の合同により昨日行われたはずだ。その結果が送られて来たのだろう。

「おう、早いな」

振り返った武石の口元に、私への答えが皺となって深く刻まれていた。

「予想通り——ですか？」

「ああ。どうやら早急に保谷署と会合を持ち、警戒区域を広げないとまずいようだよ」

北野が肘《ひじ》かけ椅子を回して私に向き直った。手にしたバインダーを振り上げてみせた。

「火元は指定道路に近い一階の六畳間だ。それも、窓に近い柱の燃え具合が一番ひどいときた」

差し出されたバインダーを受け取った。

図面とともに、保谷署の情報担当係の写した現場写真が添えられていた。炭化しかけた柱の写真が、火の勢いと延焼具合を物語っている。

なるほど。確かに火元となった部屋の中で、道路に近い側の燃え落ち度が大きくなっている。

「アパート前に、門扉は作られていなかったのですか」

「もちろん、あったさ」

武石が横から手を伸ばして、図面を指し示した。

「この窓は、万年塀から手を伸ばして届く距離にあるとは言い難い。ガスも電気もすべて止められていて、あのアパートに火種となりそうなものは何ひとつなかった。あとは、堂々と門を入り、窓に近づいたとしか想像できない」

図面をめくった。火元と見られる窓の付近から、ガソリンや有機溶剤などの油類が検出されたとの報告はなかった。管内で続いている不審火も同様で、とりあえずは犯人に、用意周到な計画性まではないのかもしれない。もちろん、今のところは、であるが。

第一通報者は、隣の家の夫人とあった。外で騒がしい声が聞こえ、それで庭に出たところで隣の火に気づいた、と証言内容が記載されていた。

バインダーを北野へ返した。

「今度は、平日の夕方ですね」

「大胆不敵と言ったらいいのか。それとも、深夜には動きたくても動けない理由があるのか。警察でもその辺りをつかみかねているらしい」

放火犯は目撃者の存在を恐れる。そのため、過去の事例を見るまでもなく、人の寝静まった深夜に犯行を重ねるケースがほとんどだった。だが、十九日から続いている一連の不審火は、これまで一番発生しやすいとされていた深夜の時間帯が、なぜかぽっかりと抜け落ちたようになっていた。

最も早い時刻が午後七時台、遅いものでも十時三十二分と、夜間の比較的早い時間帯に事件は集中していた。それが最大の特徴だった。

閑静な住宅街では、夜に入ると急に人通りの絶える場所がある。不審火の続く大泉台西地区は、最近になって開発の進んだ新興住宅街で、街灯の設置がまだ追いついていないところもあった。とはいえ、午後七時から十時台では、いつ仕事帰りの住人が通りかかるか分からない時間帯である。そんな時刻をあえて選び、自ら危険を冒そうという者がどれだけいるだろうか。

警察では、深夜に仕事を持つ者の犯行、という見方を強めているようだった。犯人は、仕事へ出るまでの時間を使って火を放ち、火事場見物を決め込んだあとで、悠々と出勤しているのではないか。そういった憶測を記事にする新聞も中にはあった。

それが今回は、一気に午後五時台へと、犯行時刻が早まっていた。

仏頂面《ぶっちょうづら》を作る北野と武石の横顔を見比べ、私は言った。

「これまでと同じ犯人でしょうか」

事件が続き、マスコミでの取り上げ方が大きくなると、それを真似た類似犯の発生するケースがあった。

北野が足を投げ出し、肩をすくめるような仕草を見せた。

「管内に、そうそう同じような趣味のやつがいてたまるものか」

「しかし五時台では、まだ多少の明るさも残ってますし、深夜の仕事を持つ者の仕業《しわざ》だったとしても、出勤時間にはまだ少々早すぎるような気もしますが……」

「じゃあ、他にどんなやつがいる。十一時までには必ず帰宅しないと気がすまないってい
う、生真面目《きまじめ》なサラリーマンが仕事帰りに火をつけてるわけか？」

北野がいくらか冗談めかして答えた。私も笑いながら、それに応じた。

「しかし、深夜になぜ発生しないのか、という疑問は依然として残りますね」

「家族の目があるから、ではどうだ？　毎日亭主が夜遅くに散歩へ出てみろ。女房に気づか
れるかもしれない」

「家族の目か……」

武石が真顔で言って、急に壁の管内図を振り返った。

「何か？」

問いかけると、すぐに視線を戻し、首を振った。

「いや。考えすぎだな。そんな証拠はまだどこにもない」

「何がです？」

北野も浮かべていた笑みを消し、興味深そうに武石を見上げた。

「いえ、仮にそうだとしたら、学校が狙われそうなものでしょうからね」

学校——。

言われて私も、壁の地図を振り返っていた。大泉台西地区を中心とする半径二キロの円内

には、中学と高校がひとつずつ、そして二つの小学校が置かれていた。

「では、小隊長は……」

「だから、考えすぎだと言った。ただ、夕方にまで時間帯が広がってくると、何も深夜に仕事を持つ者だと決めつけるわけにもいかなくなるだろ。その逆に、深夜に出歩けない者となると、つい子供や少年を考えてしまった……」

「いや、分かりませんよ」

北野が言って、椅子を回して壁に向けた。深くもたれながら、顎の先をつまむようにして地図を睨んだ。

「最初に学校が放火されたのでは、そこの生徒が真っ先に疑われてしまう。で、最初に四、五件、近所で小火を起こそうと考えた」

「係長まで……」

驚きを声にすると、北野は頬をゆるめた顔の前で私に向かい手を振った。

「いや、冗談——というか、冗談であってほしいよな、そんなことは」

東京都下に限らず、試験や成績表を受ける学期末の前になると、学校への放火事件が報告されることがある。夕方から夜十時は、子供たちが塾へ往復する時間帯と合致してくるようにも思われた。

「独身のおまえが、そう深刻そうに考えてどうする」

武石が笑い、顔をのぞき込んできた。

「悩める世代の子供を持つ俺や係長には、笑えない冗談だがな」

「そうそう。うちなんか、試験のたびに子供を気遣い、ひそひそと小声で話さなきゃならない」

「何です？　朝っぱらから深刻そうな顔をして」

声に振り返ると、小久保が盛んに目を瞬《また》かせながら近づいて来るところだった。二部隊のムードメーカーを自任する者の登場に、武石が苦笑まじりに答え返した。

「何でもないさ。子供の愚痴だよ」

「あ。それなら俺も参加しますよ。うちのガキなんか、ひどいんだから……」

「うるさい。おまえのは、いつも子供の自慢話だろうが」

北野が言って、追い払うように手を振った。

「あれ。どうして子供の話に直井までが加わってる？」

小久保がわざとらしく眉を大きく上下させて、私を見つめた。

「さては……どこかに隠し子でもいたか」

冗談で言ったにすぎない。そう思おうとした。だが、彼も時には私たちと飲みに出ていた。私と由希子の噂を聞いていない、とは限らなかった。

「何むくれてんだよ。冗談に決まってるだろ」

小久保は言い、馴れ馴れしく私の腕をたたいて笑った。それが彼の性格だった。けれど、笑顔の向こうで、舌を出しているもうひとつの顔が見えるような気がした。気がしただけだ。証拠はない。そうと知りつつも、私はつい言い返していた。

「おまえこそ、いくら子供が好きだとはいえ、よそに子供を作るんじゃないぞ」

小久保の笑いが凍りついた。昔から、噂だけはあった。今の結婚も、子供ができて仕方なくしたんだ。どこか自慢げに自分で言っていた記憶がある。でも、それとこの場で彼が口にした冗談とは何の関係もない。

私たちの間の空気を察し、武石が壁の時計に目をやり、執り成すように言った。

「お、もう始業時間だ。馬鹿話は終わりにするか」

小久保が真っ先に背中を向けた。北野もあきれたように私を見やり、デスクに向かった。その場の冗談を理解しようとしなかった私が悪いのは承知していた。

だが、子供に関する冗談を、笑い飛ばせるような気持ちのゆとりは、私になかった。

由希子の子供は、久美子という名の、七つになる女の子だった。

何となく幼稚園に上がるころの子供を考えていた私は、歳を聞いただけでいくらか気後れを感じていたかもしれない。

由希子は二十二歳の時、両親の反対を押し切って結婚し、その翌年に久美子を産んだ。夫は、高校を出て就職し、最初に仕えた上司に当たる男だったという。彼女はあまり詳しく話したがらなかったが、彼のほうに離婚歴があり、別れた妻との間に二子があることと、ひと回り以上も歳の離れていたことが、両親に反対された理由だったようだ。

その危惧が当たり、二年五ヵ月で彼女は子供を連れて家を出た。正式な離婚までには、さらにもう少しの時間が必要だった。由希子はいったん田舎の実家へ戻ったものの、早く次の結婚を進めようとする両親と気まずくなり、それで会社の先輩を頼り、再び東京へ出て来たのだという。

紹介されたのは小さな編集プロダクションで、社員は女性が多く、仕事場に子供を連れて行くこともできた。そんな環境が整っていなければ、親子二人でいつまで生活できたか分からなかった、と由希子は言った。

子供がいると打ち明けてきた女性とつき合うからには、その先の意思をあらかじめ問われたも同じになる。二ヵ月後に、そろそろ子供と会ってほしいと言われ、私は首を縦に振るしかなかった。

由希子と相談し、初めての顔合わせの場所に、娘が行きたがっていたという遊園地を選んだ。家族連れでにぎわうコーヒーカップの前で、私は由希子たちと待ち合わせをした。

七歳の、それも女の子ともなれば、もう父親のいない理由を子供なりに理解しているはずだし、その日の顔合わせの意味も薄々は察しているだろう。

子供がどんな態度を見せても、それを受け入れ、笑顔で返すことが自分にできるだろうか。それが不安だった。どうしても、昔の自分を思い出しそうになる。

不安は当たった。

久美子は少しも由希子に似ていなかった。父親に似ている、とよく言われた幼いころの私のように——。

細く、角張った鼻の線が、わずかに似ていたかもしれない。あとは、大きな丸い目も、やや太めのはっきりとした眉も、笑うとぽつりと右頰に浮かぶ小さなえくぼもなかった。

久美子は手を後ろに組んだまま、黒目がちの細い目で、物憂げに私を見上げた。

「こんにちは。今日はよろしく」

初対面の挨拶にも、久美子は軽く顎を引いただけで、言葉を返そうとしなかった。

「照れてるのよ、きっと」

由希子は好意的に解釈しようとした。けれど、そんな態度ひとつで先行きが案じられた。

「直井さんはね、消防士さんなんだよ。すごいでしょ、久美子。火事があるとね、すぐに消防車で駆けつけて、消し止めてくれるんだから」

由希子は自分のことのように自慢げな顔で娘に告げた。久美子は母を見上げ、口をとがらせると、ふうん、と言った。反応はそれだけだった。

二人につき合い、園内を廻るミニＳＬ列車やジェットコースターに乗った。由希子の笑い声が聞こえるばかりで、子供の歓声は、前や後ろの離れた席からしか届かなかった。久美子の様子を横目で探ると、彼女は遠くを眺めやるような目を作っていた。

「喉が渇いたね。ジュース買ってくる」

由希子が一人ではしゃぐように言い、売店に向かった時だった。久美子と二人、幽霊屋敷の前に置かれたベンチに残された。

「……そうじゃないかって、思ったんだ」

久美子が背中を丸め、足先で地面を蹴るような仕草を見せ、ぽつりと言った。

「え――?」

「前もそうだったもの。やっぱり今度も同じ」

驚いて顔をのぞき込むと、久美子は大人びた顔で、暇を持て余すようにして横を向いた。

七歳の女の子が、どこまで自分の言葉が与える影響を承知で言ったのかは想像するしかない。つい出てしまった言葉だろう。そう私は考えようとした。

だが、その直後に久美子は、横を向いておきながら、私の様子を盗み見るような目で、ちらりとこちらを見たのだった。

――前もそうだったもの。

そう告げれば、以前にも同じようなことがあった――母親が自分に紹介したのはあなたが初めてではない――と分かるはず。それをあえて私に教えるための言葉だった。

母親がいなくなった時を見計らい、久美子はわざとつまらなそうな顔を作って冷ややかに告げた。彼女は、そんな作為のできる子供だった。

自分と同じだった。

私は二十五年前の自分に、今、復讐されているのだと思った。母親に紹介された男の前で、わざと冷たい態度を取った、あの日の自分に――。

「――時間をかける以外にないと思うの」

遊園地での顔合わせのあとで、由希子はすまなそうな顔で言った。そうする以外にはないのだろう、と私も思った。

日をあらためて、由希子たちのアパートを訪ねた。久美子の好物だというイチゴのショートケーキを買って行った。だが、彼女は私の前でケーキを口にはしなかった。石神井《しゃくじい》公園まで出かけ、二人でボートにも乗った。いくら話しかけても、久美子はつまらなそうに唇をとがらせ続けた。

どう接していいか、分からなかった。最初から頼りなかった覚悟は、久美子という小さな壁に厚く跳ね返され、砂と崩れた。

あれから二週間――。その思いは口にしなくとも、態度で由希子に伝わった。

いや、自ら弱音を吐きたくなかった私は、態度でそれを伝えようとしたのかもしれない。

――いいのよ、気にしないで。

それは、二十五年前にも一度、彼女と同じような立場に立たされた一人の女性から、聞かされた言葉に似ていた。

3

当番日は八時三十分に署へ出て、翌朝八時四十分までの十六時間勤務となる。署に詰めて過ごすのは二十四時間と十分だが、その中に八時間十分の休憩と睡眠時間が基本的には含まれている。とはいえ、いざ火災が発生すれば、それらの時間は否応もなく削られていく。

署へ出ると、まず前日の当番隊と申し送りをする。それから車と装備の点検、その後が訓練になる。火災の発生しやすい時間帯は、火を使う機会の増える夜に集中しやすい。そのため、出場機会の少ない昼前までに訓練スケジュールの組まれることが多かった。

大泉署では庁舎裏にパイプを組み上げ、訓練用の階段と外壁を作り上げてある。それを現場に見立て、ポンプ車やはしご車を出しての模擬訓練をくり返す。結果をミーティングで見つめ直し、実際の消火活動につなげていく。

午後からはデスクワークをこなす。連続不審火に備え、各町内会と連絡を取り合い、巡回指導の計画案を練り直した。消火器材や備品のメンテナンスにも時間を取られる。一息つけるのは、夕食を終え、仮眠につくまでのほんの短い休憩に入ってからになる。

当番室の食堂で、仲間たちとテレビのナイター中継を見ていると、武石が湯飲みを手に近づき、隣の席に着いた。

「最近、飲みに行ってないそうだな」

何を言われたのか、すぐに理解した。日勤のあとには、必ずと言っていいほど岩本たちと連れ立ち、飲みに出ていた。

「不審火のことがありますから」

少し素っ気なく答えすぎたかもしれない。武石は表情を和ませ、苦笑を作った。

「まったく同じことを言いやがる。どうやら心配するまではないようだな」

岩本にも同じ話題を振ったようだった。いつもなら食堂にいて、仲間たちとの馬鹿話に加わっているはずの彼の姿が今は見えなかった。

隊員は、三日に一度の割合で二十四時間をともに過ごす。いざ火災が発生すれば、力を合わせて炎に向かう。隊を預かる者となれば、隊員の動向にそれとなく注意をしているのは当然だった。

「ご心配ばかりかけてすみません」

「子供じゃないんだ。そう心配はしていない。小久保のほうは、ああいうやつだから、根に持つこともないだろうしな」

今も小久保は、仲間たちに調子を合わせ、笑いながら子供の自慢話を披露していた。ちょっとした感情的な行き違いはあったが、あれ以来、私への反発を見せたりはしていない。

武石の表情がにわかに引き締まった。

「とにかく、だ。現場で張り合うようなことは、してくれるなよな」

階級から言えば、私は消防士長の立場にあり、先頭に立つ一番員の役を任せられていた。だが、由希子とのことがあって以来、岩本は訓練の際に幾度も、私と張り合おうという素振りを見せた。それを警戒しての言葉だった。

岩本にその気があるのなら、いつでも一番員を譲ってもいい、と考えていた。譲れるものは、それしかないのだから。

私は武石を見返し、以前から気になっていたことを告げた。

「もしかすると小隊長は、そのために、うちの隊を合同訓練に……」

大泉署の所属する第五方面本部では、二ヵ月後に合同の防災訓練を計画していた。その中で行われる大規模消火の模擬演習に、大泉署から一隊を出すことになっていた。土壇場になって派遣される隊が変更になったのだが、その際、武石が中隊長に強く進言し、それで我々の二部隊に決まったらしい、との噂があった。

模擬演習の参加までには、多くの訓練を積む必要がある。我々をあえてひとつの目標に向かわせ、隊をまとめようと考えたのではないだろうか。

「俺は自分の隊を信じているよ。それだけだ」

再び笑顔に戻り、武石は言った。

その時だった――。壁のスピーカーが信号音を発した。

「二十一時二十八分。練馬区、出火報」

通信室からの予告報だった。

隊員が一斉に動きを止めた。火災現場と規模によっては、出場指令がかかる。武石が立ち上がり、真っ先に食堂を飛び出して行った。私も椅子を飛び越え、あとに続いた。出場に備え、隊員たちが走り始める。

壁にかけた防火衣を着込み、爪先部分に鉄板を仕込んだ現場用のシューズに履き替えた。ヘルメットを手にする。岩本は車庫にいたらしく、もう防火衣をまとってポンプ車に向かっていた。

「大泉署、第一出場指令！」

正式な出場指令が下されるのと、機関員によって車にエンジンがかけられるのと、ほぼ同時だった。

「出場隊は指揮1、ポンプ1並びに2、救急1。現場《げんじょう》は大泉台西五丁目二の十。大泉西中学校――」

指令を聞き、私は一瞬足を止めた。武石も助手席のドアに手をかけ、壁の一角に目をやっていた。

「小隊長……」

「詮索はあとだ。行くぞ」

武石は短く言い、ステップに足をかけた。

サイレン音を響かせ、すぐ横で指揮車が動き出した。ドアを閉めるまもなく、一号ポンプ車もスタートした。

「右、よし。左、よし！」

確認呼称とともに、停車した一般通行車のボディを赤く染め、通りへ飛び出た。夜の街道を左右に分かちながら、四台の列が続く。

距離は近い。一連の不審火の続く、大泉台西地区だった。現場へ向かう道すがらも、指令室からの無線が続々と入ってくる。

「――指令室より各隊へ。通報者は中学校の管理人。出火元は校舎西に位置する体育館と見られる。各隊は正門へ回らず、東脇の路上につけ……」

体育館――とは、意外だった。地図を広げようとした武石の腕も途中で止まった。

現場が中学校と聞き、予防課の前で武石たちと話していた予想が的中してしまったのか、と思ったが、火元が体育館では、少し事情が違ってくる。もちろん、体育の授業を嫌う子供もいるだろうが、その場合は仮病を使って授業を休めば、それでことは足りる。職員室に火を放つような差し迫った状況とは違う。

放火が憎むべき犯罪である事実に変わりはない。だが、その犯人が少年であってほしくないという思いはあった。火元が体育館では、普段から火を扱う場所とは言いにくいだろう。あるいは、中学生が隠れて煙草でも吸い、その不始末が原因だろうか。

郵便局前の通りを左に曲がった。この先を五百メートル近く進むと、保谷署との境界線にぶつかる。その少し手前で右に折れた。市民センターを越えると、右手に中学校の校舎が暗い影となって街の灯りに浮き上がってきた。

炎は見えなかった。闇夜が目隠しとなり、煙も確認できない。校庭のフェンス前に四、五人、うごめく人影が見えた。もう見物人が集まり始めている。次の瞬間、焼け焦《こ》げた臭気が鼻についた。

「あそこだ！」

岩本が窓から乗り出して叫んだ。と同時に、前を行く指揮車からの無線が聞こえてくる。

「――大泉指揮1より指令室へ。現場着、火災を確認しました。体育館西の壁面とフェンス前の植木に広がっています……」

体育館の壁を走るオレンジ色がようやく目に映った。指揮車の停まった横で、見るまに火の柱が大きくなった。フェンス脇に近づいていた人影が、蜘蛛《くも》の子を散らすように後退した。

炎に目が吸い寄せられる。防火衣のベルトを締め、下腹に気合いをくれた。

武石が地図を放り、振り返りざまに叫んだ。

「呼吸器の用意だ。直井、岩本、二人はフェンスを越えて左右から近づけ。二小隊が正面から近づく」

「了解」

呼吸器のタンクを手にしてドアを開けた。素早く降り立ち、車のサイドへ向かいながらタンクを背負った。消火ホースをつかみ取った。ノズル口にフォグガンを装着する。

壁を走り上がる炎に向かい、駆け出した。

通報が早かったのと、学校内という現場の特質から消火栓の確保が楽にできたせいもあり、鎮圧までそう時間はかからなかった。保谷署のポンプ車が到着した時には、放水を絞り、火元と見られる体育倉庫の様子を見ながら、その中へ足を踏み入れていた。

中隊長の桑原が、検索棒を片手に燃え落ちたネットや跳び箱の残骸をかき回し、火種が残っていないかを確認して歩いた。体育館の壁はコンクリート造りで、建物自体への延焼は免れた。それが、被害を最小限に食い止められた一因でもあった。

火元と見られる体育倉庫の壁に、集中配電盤が設置されていた。だが、そこが出火元でないのは素人の目にも明らかだった。壁のどこにも焼け焦げた跡は見えない。

「小隊長！」

ホースを手にした岩本が、倉庫の外から武石を呼んだ。

「見てくださいよ、これを」

岩本は体育館の外へ廻ると、倉庫裏の外壁を見上げた。四十センチ四方ほどの小さな窓がひとつ、顔の辺りにあった。そこからはい出した炎の跡が、外壁を駆け上がるように黒い帯となって伸びていた。ガラスはすべて割れ落ち、ぽっかりとあいた穴から灰と化した倉庫内が見えた。中にはさみ込まれていたワイヤーも焼け落ち、中央を射抜かれた蜘蛛の巣のような模様を作っていた。

「火の勢いで押し破られたにしては、ガラスの破片が少なすぎやしませんかね」

岩本が足元の水たまりを均《なら》すように足を動かしながら言った。指揮車に搭載した投光器の明かりを跳ね返し、ガラスの小片がいくつか、きらきらと光った。

確かにそうだ。倉庫の中で勢いを増した炎が窓ガラスを破ったのなら、破片は壁の外へ散っていなければおかしい。ガラスらしき破片はところどころに見えるが、とても窓を覆い尽くす分の量が散らばっているとは見えなかった。

窓は外側から破られていたのだ。炎が飛び出す前に、何者かが体育倉庫の窓を割り、そこから火種を放った——。

「またかよ……」

すぐ後ろで震え声を出したのは、小久保だった。彼は汗と水に濡れた顔を袖口《そでぐち》でぬぐうと、信じられないものを見たように首を振った。

「これで何度目だよ……」

もう疑いようはなかった。正式な鑑識結果を待たなければ断言はできなかったが、九十九パーセント間違いない。

これで先月から六件――。またしても、放火だった。

五分後に警察からパトカーが到着し、私たち隊員は消火ホースの撤収作業にかかった。無駄口をたたく者はいなかった。放火との確信が、濡れた防火衣をさらに重く感じさせていた。

バルブ口を外し、二本目のホースをまとめていると、手元のホースめがけ、どこからか小さな石が転がって来た。

何かと思い、振り返った。その足先を、またも小石がかすめて転がった。

三メートルほど後ろには、野次馬を整理するために黄色いロープが張り渡されていた。そろそろ散らばりかけた見物人の間から、その石は転がって来たらしい。

視線を上げようとした先から、思いがけない声が聞こえた。

「ホントだったんだ」

黄色いロープの下に、赤い運動靴を履いた細い足が見えた。その片ほうが、アスファルトを蹴るように動いた。その瞬間、遊園地のベンチでぶらぶらと揺れていた小さな細い足を思い出した。

とっさにヘルメットを脱ぎ、顔を上げた。黒目がちの細い小さな目が、私を正面からじっととらえていた。

「ホントに消防士だったんだ。へえ……」

久美子だった。ロープの前で両手を後ろに組み、いつかと同じように、踵を浮かせた片足をゆらゆらと右に左に揺らしていた。

「どうしたんだい、こんな遅い時間に」

まさか消火現場で久美子と顔を合わせるとは予想もしていなかった。確かにアパートからは遠くない。だが、それは大人の足にすればで、小学二年生が歩いて来るには、少し距離がありそうに思える。私は久美子の周囲に目を走らせていた。

「見ればわかるじゃない。見物に来たのよ」

久美子は口をとがらせ、投げ出すように言った。由希子の姿はどこにも見えない。彼女は一人で来たようだった。

何を言っていいか分からず、意味もなくその場で立ち上がっていた。丸めかけていたホースが、生き物のように足元で跳ねた。

お母さんが心配しているといけない——。言いかけて、言葉を呑んだ。当たり前のことしか口にできないのでは、逆に何を言い返されるか分からない気がした。

久美子は目の前のロープを両手でつかむと、上目遣《うわめづか》いに言った。

「やっぱり同じだったね」

「え？」

「あんたも同じだったってこと。そうだと思ってたんだ」

久美子は言うなり、私に背中を向けた。振り返りもせずに、走り出した。

「おい、久美子ちゃん……」

呼びかけたが、こちらを向いたのは家路につこうとする野次馬たちだった。その間を、久美子の小さな背中が隠れて行った。

「なんてガキだ。女の子のくせして」

後ろから声が聞こえた。振り向くと、機関員の高田があきれ顔で私を見ていた。

「こっちは市民のためにずぶ濡れで働いてるってのに。石を蹴りつけるとは、どういう了見だよ、あのガキ……」

「知り合いの子供なんだ」

私は言った。高田の反応を見ずに、腰をかがめた。足元に転がった消火ホースを手にした。投げつけるように言った久美子の声が、胸の中でくすぶり続けている。

——あんたも同じだった。

それは、明らかに三週間ほど前の、遊園地で交わした会話を受けての言葉だった。以前にもこうやって男と引き合わされたことがある。そして、今も母は一人でいる。あんたもその男の人と同じだったね。それを彼女は、わざわざ私に告げるために来たのだ。

久美子は気づいていた。母親の様子から、私との間に何が起こりかけているのかを。そして、その原因がどこにあるのかも——。前の男の時と同じだったからこそ——。

何もかも察し、だから私に向かって石を蹴った。消防車の放つサイレンの音を耳にし、もしやと思い、アパートを飛び出して私の姿を探した。せめて一言、何か言わずにはいられなかった。

素直になれるわけがなかった。思い返すまでもなく、幼いころの私も同じだった。

4

八時四十分にその日の当番が明けると、私は一度アパートへ戻り、形ばかりに体を休めた。二時すぎに起き出し、あらためて大泉署の管内の近くへ足を運んだ。

気休めに、不審火の続く地区を廻ってもいいと思っていた。だが、その前に寄っておきたいところが私にはあった。

かつての自分を思い出そうとしたが、学校が何時に終わるものなのか、はっきりとは記憶になかった。どうせ一日暇なのだ。ぶらぶらと散歩をかねて駅から歩いた。

地図を見ながら、校門の前を通った。校庭では、そろいの体操服を着た子供たちが鉄棒にしがみついていた。ランドセルを背負った姿はまだ見えない。

近所の本屋で時間をつぶし、それらしき姿を見かけるようになってから、アパートの近くへ場所を移した。二軒手前に遊歩道があった。その手すりに腰をかけた。

二十分も待ったろうか。ランドセルを背負った小さな姿が二つ、路地の角から弾むように現れた。バイバイ、また明日ね。笑顔で手を振りながら、二人は別れた。

彼女にも、あんな子供らしい笑顔があったのだ。当たり前のことを、私はあらためて知らされたような思いがした。

遊歩道の脇で誰かが自分を待っているとは思いもしなかったのだろう。彼女は私のほうを振り向きもしなかった。昼日中から歩道の手すりに腰かけ、ぼんやりとしているおかしな男を警戒し、わざとこちらを見ないようにしたのかもしれない。

私は足元に転がっていた小さな石を軽く蹴った。狙い通りに、彼女の足元へと転がって行った。

ぱたり、と赤い運動靴が動きを止めた。不思議そうな顔をして、久美子が振り返った。

「よお。昨日はどうも」

私は手を上げ、少し無理して笑顔を作った。

久美子の顔から表情が吸い込まれるようにして消えた。代わりに、唇が小さくとがった。

無言で足元の石を、こちらに思い切り蹴り返してきた。力が余ったせいか、石は私を大きく逸《そ》れ、遊歩道を奥まで転がった。久美子はそのまま身を翻《ひるがえ》すと、アパートへ向けて駆け出した。

私は腰を上げて追いかけると、久美子の前に回り込んだ。彼女は行く手をふさがれ、仕方なさそうに立ち止まった。黒目がちの目が、おどおどと揺れた。

「昨日は来てくれて、ありがとう」

久美子は唇をとがらせたまま横を向いた。アパートの鉄階段の脇に植わった植え込みを見つめ、ぼそりと言った。

「……すぐ消えちゃって、つまんなかった」

「それがおじさんたちの仕事だからね」

久美子の前に膝をつき、横を向こうとする彼女の顔をのぞき込んだ。

「サイレンを聞いて、わざわざ見に来てくれたんだよね。おじさんがいたら、どうしても言ってやりたいことがあった。ママをいじめるな、ってね」

子供だましの笑顔は作らなかった。真剣な話があるんだ。正直な思いで向き合えば、彼女はもう分かってくれる年齢にある。そういう、自分に向けられる大人の視線や態度に敏感になってしまいがちな子供がいる。かつての私がそうだったように。

久美子は私の視線を避けるように下を向いた。

「もっと燃えればよかったのに……」

意地を張って、わざとそんな言い方をしたのだ、とは理解していた。だが、いくら子供でも、聞き逃せない言葉だった。

私は彼女の肩をつかんで、こちらを向かせた。視線を合わせようとしない目を見つめて言った。

「なあ、久美子ちゃん。思い違いをしないでほしいんだ。お母さんを大事にしたいっていう君の気持ちはよく分かる。でも、それと同じように、おじさんも君のお母さんのことを考えているつもりなんだ。だからね、お母さんのことを思う君とおじさんが一緒になって、今以上どうやってお母さんのこれからを大切にしてあげたらいいのか、それを考えなきゃいけないと思うんだ。二人で一緒に、ね」

久美子が細めた目を私に向けた。急に、こちらが驚くような大声で言った。

「もっと燃えればよかったのに！」

「冗談でも、そんなことを言っちゃいけない」

「冗談なんかじゃない！　もっともっと燃えればよかったんだ！」

久美子は言うなり、私の手を振り払った。ランドセルの肩帯を握り締め、アパートの階段を駆け上がって行った。部屋へ帰っても、母親はいない。一人でおやつを食べ、宿題をし、時に一人で彼女は夕食をとる。

しばらくその場から動けなかった。また少し自信が崩れそうになるのを感じた。もちろん、あの言葉は本心ではない。母を苦しめようとする私への反発にすぎない。だが――。

くすぶる思いを振り払い、歩き出そうとした。ふいに、現場で小久保が口にしていた言葉が思い出された。

――またかよ……これで何度目だよ。

――もっともっと燃えればよかったんだ。

胸の中で、つい先ほどの久美子の声と重なった。


「おう、ご苦労さん。休日にまでパトロールをしてるんだってな」

署の二階へ上がってドアを押すと、そろそろ帰り支度に取りかかっていたらしい総務課の者が立ち上がった。警防課と違い、総務や予防課は毎日勤務になっている。

「いえ、今日は近くまで来たもので……」

「何だ、パトロールじゃないのか？」

管理係長が不思議そうに言い、眉を寄せた。

「ちょっと来月のサイクルがどうなっていたかと思いまして」

「別に変更はなかったと思うけどな」

デスクをひと通りかき回すと、係長は透明ファイルにはさまれた勤務サイクル表を取り上げた。

三交代勤務は、基本的に二十一日をひとつのサイクルとしている。その間に、七日の当番日が入り、あとは非番と週休日、そして日勤日が割り振られていた。規則的に三日ごとの当番日が順序よく回ってくるわけではない。

私はサイクル表を受け取り、手帳を開いた。それとなくページをめくった。一連の不審火と見られる火災の発生場所とその日にちは、すでにリストアップしてある。

昨日の中学校の火災で、先月から大泉台の西地区を中心にした連続不審火は六件になる。十九日、二十五日、二日、六日、十日、そして昨日の十三日。

二、十、十三日の不審火が、私の所属する二部隊の当番日に発生していた。そのうち、十日の火災については、我々大泉署の隊が現場に到着した時には、すでに保谷署や武蔵野署の先着隊によって鎮圧され、実際の消火活動はしていなかった。

――もっと燃えればよかったんだ。

久美子が言ったのは、私への反発にすぎない。それは理解できる。だが、反発ではなく、もし悪意を持って火を放った者がいれば――。消防士である私たちに――。

久美子の言葉から、不吉な想像がちらりと頭をよぎった。そう考えてみると、今月に入って発生した四件の不審火のうち、三件までが、私たち二部隊の当番日に発生していた。

カレンダーを見つめ、先月の十九日と二十五日の当番隊を逆算していった。

東京消防庁では、四月、八月、十二月に定期異動が行われる。その際、警防課の隊にも、異動に伴う出入りが生じる。だが、通常、当番隊のサイクルに変更はない。有休や病欠者が出た場合は、予備隊員に指名されている毎日勤務の者が、代わりに隊へ入ることになっている。

ところが、大泉署では、先月の末に当番隊のサイクル変更が行われていた。

二ヵ月後に予定されている第五方面隊の合同防災訓練のせいだった。本来は、その当日のサイクルから、週休日となっていた三部隊が派遣される予定だった。が、先月になって、三部隊から怪我人一名と異動者が出ていた。

怪我人は今もリハビリのために休職中で、代わりの予備隊員が隊に入った。そのうえ、隊を預かる中隊長が、定年退職者に伴う玉突き人事の影響で本庁へ呼び戻された。新たに消防指令補が方面本部から配属され、三部隊の中隊長に収まったのだ。

重要なのは、模擬演習よりも実際の消火活動である。入れ替わりの出た三部隊は、演習に向けての合同練習よりも、チーム固めの実戦訓練が必要とされた。武石の進言もあり、代わりに私たちの二部隊が演習に参加することになった。そのため、各隊員の同意を得て、防災訓練の日程に合うよう、当番隊のサイクルが変更されたのである。

「ずいぶん真剣な顔をして見てるんだな。おい、結婚式の日取りでも選んでるのか？」

管理係長が、からかい半分に笑いかけてきた。それにつき合い、笑顔を返した。

「このサイクル表を、外に教えたりすることはないですよね」

「まず普通はな。でも、どうした？」

「いえ……ですが、特別に教えることが、時にはあるのでしょうか？」

「ほら——最近はテレビとか週刊誌で、警察や消防の特集を多く扱うだろ。中には、勤務サイクルの問い合わせもあるらしいからね」

大泉署の隊が、取材を受けたとは聞いてなかったし、その予定があるという話もない。どの隊がいつ当番日となるのか。それを問われることは、普通ではないように思えた。

「さてはおまえ、彼女に非番日を知られたな」

「ええ……そんなところです」

言葉を濁し、サイクル表を返却した。通路を歩きながら、ゆっくりと目立たないように深呼吸をくり返した。

総務課のデスクを離れた。通路を歩きながら、ゆっくりと目立たないように深呼吸をくり返した。

先月の十九日と二十五日は、まるで測ったように、三部隊の当番日に当たっていたのである。

そして、今月に入ってからは、四件の不審火のうち三件が、二部隊の当番日に発生していた。残る一件が、一部隊の当番日である。

つまり、勤務サイクルの変更がなければ、六件中、五件までもが旧三部隊の当番日に発生していたのだ。

これはただの偶然だろうか……。もし、三部隊の隊員を不審火の発生現場に向かわせたい、と考える者がいたとすれば……。

同僚たちに挨拶をし、警防課へ寄った。今日の当番隊は、一部隊だった。声をかけてきた隊員に答え返しながら、自分でも頬が強張っていると分かった。なるべくうつむき、棚を探した。

一連の不審火についてまとめたファイルを選び取り、ページをめくった。

たった一件だけ一部隊の当番日に発生していた六日の不審火は、午後十時三十二分に119番通報が受理されていた。火災発生現場は、練馬区南大泉五丁目。火元は住宅街のゴミ置き場である。そこから、隣接する民家の生け垣と庭木を焼き、通報から十八分後に鎮火、と記録にはあった。

どう見ても、やはりこれも放火だった。発生区域も近く、一連の不審火と見るのが自然だ。

しかし――。

もし、この六日に発生した不審火の犯人が、一連の不審火と同一犯ではなかったなら……。

いや、同一犯でも別に不思議はなかった。すべて三部隊の当番日に放火されていたのでは、あまりにも不自然すぎる。犯人の意図を悟《さと》られてしまうことにもつながる。

記録を読み返すまでもなく、不審火の規模は、どう見ても徐々に大きくなってきている。火災の規模が大きくなれば、消火に当たる隊員たちの危険度も、確実に増していく。

発生時間帯とは別に、放火犯を絞り込む糸口がここに――。

しかし、本当に、そんなことがあるだろうか？　三部隊の隊員への恨みから、火を放つ者が……。自分で想像しておきながら、半信半疑に首をひねっていた。

後ろから急に背中をたたかれた。飛び上がるようにして振り返った。

「今日は直井がパトロールに出る日だったかな？」

一部隊の中隊長が立っていた。

「あ……いえ、暇ですから、ちょっと一人で廻ってみようかと思いまして」

「うちの隊の連中も、もっと関心を持ってくれるといいんだがな。そんな話は、噂にも聞かなくて肩身が狭いよ」

デスクにつく隊員たちを横目にしながら、彼は言って笑い飛ばした。部下たちへ聞こえるように言った冗談だった。だが、まるでこの資料を見に来た者が、私以外にもいたような口振りにも聞こえた。

仮に、火災現場へ呼び出されても仕方がないような、後ろ暗さを持つ者が隊にいたとすれば……。旧三部隊の当番日にばかり、不審火が続いている偶然に気づいたとしてもおかしくはないのではないか。

私は中隊長を見返した。

「あの……どなたか、この資料を見に来たのでしょうか？」

軽く腕を組むと、中隊長はどこか感慨深げに言った。

「彼としても、きっと何かをしたかったんだろうな。昨日、来てたそうだ」

「昨日？」

「リハビリの様子もいいようだし、来月には戻って来られそうだ、と言ってたらしい」

来月に戻る――。

現在、怪我のために休職中の者が、三部隊に――いた。名前は確か……。

「――関屋さん、ですか？」

「ああ。復帰しても、最初は毎日勤務だろうがな。彼にも言ったんだが、君も何か気づいたことがあったら遠慮なく言ってくれないかな。石神井署の捜査課からも相談されて困ってるからな」


関屋光男、四十一歳。三部隊の消防士長である。

彼が怪我を負ったのは、先月の十日に発生した駅近くの雑居ビル火災でのことだった。二階に入っていたスナックの店員が、仕込みの最中に誤ってコンロの脇で食用油の缶を倒し、その火が店内に燃え広がった。火災原因は明らかだった。不審火ではない。

時期的には、ちょうど連続不審火の発生が始まる少し前になる。当番隊の勤務サイクル変更は、彼のその怪我も一因となっていた。

私は帰りがけにもう一度、総務のデスクへ立ち寄った。

「関屋さんが見えられたそうですね」

「ああ。ずいぶんよくなったみたいだよ」

「あの人のことですから、早く隊に戻りたいなんて言って、早速サイクル表を見て行ったんじゃないですかね」

作り笑いを浮かべて言うと、管理係長が驚いたように目を丸くした。

「よく分かるな。そうか、直井君は関屋さんとも親しかったのか」

「以前に少し、お世話になったことがあります」

当たり障りのない言い訳を口にして、係長の前を離れた。再び警防課のデスクへ戻り、緊急用の連絡表を探した。そこには、大規模火災の発生時に備えて、警防課員だけでなく、予備隊員までの住所が控えられている。

関屋光男は、小金井市内にある消防庁の家族官舎に住んでいた。

5

三部隊の隊員への恨みから、火を放った者がいるのではないか。しかも、その三部隊に所属し、今は休職中の関屋光男が、隊のサイクル表を確認していた。

これは何を意味するのだろうか。そう考えながら、私は停留所でバスが来るのを待った。

今回の連続不審火の捜査には、すでに石神井警察署の刑事課が動いている。だが、放火事件を専門とする捜査員とはいえ、どこまで消防の勤務サイクルについて知っているか、疑問は残る。

迷いつつ、バスに乗った。心を決めるには、関屋と会って話をしてみる以外にはないだろう。

私の妄想にはまだ何の裏づけもなく、信憑性《しんぴょう》にも乏しかった。なぜなら、いくら決められた日に火を放ったとしても、それで出場する隊員の命が、即脅かされるわけではなかったからだ。時に、関屋のように怪我を負う者はいる。殉職者の出るケースも過去になかったわけではない。だが、命を狙うにしては、あまりにも確率の薄すぎる方法だった。

もちろん、執拗《しつよう》な嫌がらせにはなる。それが犯人の目的なのかもしれない。その人物に自分の存在を悟らせ、何らかの圧力を与えようという動機は充分に考えられるだろう。

警察へ相談を持ちかけた場合、彼らはどう動くだろうか。少しは信憑性ありと見て、三部隊に所属する者のプライバシーを暴きにかかるだろうか。証拠ひとつないことで、そんな事態を引き起こしていいものなのか。私にはまだ、迷いがあった。

駅前で、見舞いの品として果物を買った。それを手に官舎へ歩いた。同じ署に勤める同僚なので、顔は知っていたが、あまり話したことはなかった。

純粋に、仕事を休んでいる身に何かできることはないか、といった思いから関屋が資料を見に署へ来たとは思いにくい。サイクル表を確認までしているのだ。私と同じく、その偶然に気づいているのは、まず間違いない。

怪我のために隊を離れていた関屋が、どうしてその可能性に気づくことができたのか。それが疑問だった。だが、もし彼自身に、放火という嫌がらせを受ける心当たりがあったとすれば、どうなるか。

その人物は、関屋が怪我をして休職中であることを知らない。勤務サイクルの変更も知らされていない。だから、旧三部隊の当番日に限って、今も火を放っているのではないだろうか。そんな憶測ができるように思えてならなかった。

消防出張所の二階と三階が、職員の家族官舎になっていた。郵便受けで名前を確認し、階段を上がった。

実際に、関屋への嫌がらせに火を放っている者がいるとの証拠はまだどこにもない。ただ彼には心当たりらしいものがあった、という見方もできるかもしれない。

悪くすれば、同僚のプライバシーを暴く結果に終わる恐れもある。それを胸に言い聞かせ、私はドアホンのボタンを押した。

「はい――」

ドアが開き、丸顔の夫人がひょっこりと顔を出した。洗い物でもしていたのか、水色のトレーナーの袖口が濡れ、色が濃く変わっていた。

「初めまして。大泉署でお世話になっております、直井と言います」

あら、と夫人は言って目を大きくすると、あらたまるように腰を折った。

「すみません。今日はお仲間と、これなんですよ」

苦笑を頬に浮かべ、右手の人差し指と中指を私の顔前に突き出して見せた。夫人にならい、私も二本の指をかざしながら訊いた。

「これ——ですか？」

「ええ、急に囲碁に凝《こ》りだしましてね。入院中は、毎日暇でしたから、同室の方から手ほどきを受けたんです。何が面白いのか、このところ遅くまで帰って来ないんですよ」

「よくお仲間のところへ碁を打ちに出かけられるのですか」

「覚え立てが一番面白いんだ、とか言って。困ったもんです」

夫人は大げさに眉をしかめて見せると、軽やかに肩を揺すって笑った。

「もしかすると、昨日の夜もでしょうか」

「あら、ご存じですか」

「署のほうに見えられた時、どこかへ寄るようなことをおっしゃっていたので……」

「昨日はもう少しで午前様。ほんとに碁を打ってるのかしらね」

夫人は屈託なく笑い返した。

昨日、関屋は署へ出て不審火の資料とサイクル表を確認し、夜遅くになって帰宅した。そして、今日も出かけている。不審火の発生時間帯は、午後六時から十一時まで。その符合が気になった。

彼には心当たりがある。自分の目で現場を確認しようとしたのか。それとも、直接その人物に——。

私は見舞いの果物を手渡すと、手帳に自宅の電話番号を書きとめ、ページを破った。

「できれば、電話をいただけるとありがたいのですが」

「わざわざ来ていただいたのに、すみません。必ず伝えますから。今日はそんなに遅くならないと思うんですが」

「遅くなっても結構ですから。実は、相談したいことがあって今日は参りました。電話をいただけない場合には、他の者に相談しなくてはならなくなります。そうお伝え願えますか」

夫人は丸い顔をしかめ、頼りなさそうな表情で頷き返した。

今夜は一部隊の当番日だった。たとえ私の妄想にいくらかの信憑性があったとしても、不審火が発生する可能性は少ないはずだ。そう信じて電話を待った。囲碁を口実にして、関屋はどこへ出かけ、深夜まで何をしているのだろうか。

アパートの電話が鳴り出したのは、十時半をすぎてからだった。

「……ごめんなさい、こんな時間に」

待っていた相手からではなかった。

由希子だった。電話の向こうで車の走行音が聞こえている。部屋からではなく、外へ出て携帯電話を使っているようだった。それで私は話の内容に予想がついた。

「君に相談しなかったのはすまないと思っている。今日、学校帰りの彼女と会ったんだ」

胸にためていたものを吐くように、由希子は電話口で大きく息をついた。

「もしかしたら……久美子のほうが先に行ったのかしら?」

「気づいてたのか」

「じゃあ、やっぱり……。サイレンの音が聞こえたと思ったら、急に友達のところへ行くなんて言い出したから、もしかしたら、とは思ってたけれど……」

「ひとこと顔見知りの消防士に向かって、文句を言いたかったみたいだよ」

「あの子、何を言ったの?」

答えを恐れるように、由希子は訊いた。

「ママをいじめるな、ってね」

「そんなことを……」

吐息が聞こえた。携帯電話を握り、遠い目を作る由希子の姿が見えるような気がした。

「久美子ちゃん、何か言ってたかな」

「ねえ。あなたこそ、あの子に何を言ったの？」

「二人で大切なお母さんのためにじっくり考えてみないか、そう言った」

「頼むから、あの子を責めるようなこと、言わないで」

声がわずかに震えて聞こえた。携帯電話に特有の、電波による影響ではないようだった。

「責めてなんかいない。二人で考えよう、と言っただけだよ」

「お願い——。あの子は自分を責めようとしてるの。自分のせいで、あたしが苦しんでると思ってるのよ。これ以上、あの子を急がせたりしないで。急にあなたという男の人と引き合わせたから、まだ驚いてるのよ。もう少し時間が必要だと思う。お願いだから、あの子を責めたり……」

「自分を責めているのは、あの子じゃなく、君のほうみたいに聞こえるな」

「だって……あたしは」

「いいかい。離婚したからといって、あの子の父親を、君が奪い去ったわけではないだろ」

「分かったようなこと、言わないでよ」

言葉を呑むように語尾がかすれた。彼女は冷静になろうとしている。それでも叫ばずにはいられなかった。

「すまない。子供がいると聞いて、怖じ気づいた男の言うことじゃなかったかもしれない。でも、少しは久美子ちゃんの気持ちが分かるつもりなんだ。経験者だからね。自分も昔——

母が紹介しようとした男の人に、冷たく当たった」

　由希子は言葉を返さなかった。車の走行音に隠れるような、ひそめた息づかいが耳に届いた。

「あの時の男の人が、母にとってどういう人だったのか、それは想像するしかない。母は何も言わずに、去年死んでしまったからね。でも、君に子供がいると聞いた時、ああ、自分は昔の自分に試されているんだ、そう思えて仕方なかった」

「そう……。お母さん、何もおっしゃらなかったの」

「一度としてね」

　あの日の母の不安そうな笑顔を、私は今も忘れられない。日傘の下でまぶしそうに目を細め、私を見つめながら母は笑おうとしていた。男の人を紹介され、幼い私はわざと拗《す》ねたような振りを演じた。その帰り道、隣に並ぶ母を見上げようとしても、なぜか日傘の模様ばかりが見えていた。

「誤解しないで聞いてほしいんだけど――」

　由希子はあらたまるような調子で言った。

「私もきっと……あなたではなく、迷わずに久美子を選ぶわ。でも、それはあなたのせいではないから。それだけは分かってほしい気がする」

「ありがとう」

その言葉は、由希子にではなく、もっとかけるにふさわしい相手がいたはずだった。

私は言った。

「もう少し時間をもらえないだろうか。選ぶのは、そのあとでもいい気がする」

「そうね……それがいいと思う」

由希子は力なく言ってから、電話を切った。

二度目に呼び出し音が鳴ったのは、十一時二十分をすぎてからだった。受話器を取ると、車の走行音が間近で聞こえた。こちらもわざわざ外へ出て、近くの公衆電話からかけてきている。

「遅くなってすまない」

「いえ、こちらこそ突然お宅のほうへ押しかけまして、申し訳ありませんでした」

「相談があるそうだね」

探るように関屋は言った。こちらの出方をうかがおうとしている。

「昨日、わざわざ署のほうに見えられたそうですね。その件で、今から会えませんでしょうか」

「今?」

「はい。今日は何もなかったようですが、早いほうがいいように思えますので。いかがでしょうか」

たっぷり三十秒以上は黙っていただろうか。関屋はわずかに声を詰まらせて言った。

「明日まで……待ってもらえないだろうか」

会って話さないかとの誘いを、関屋は拒否しなかった。彼はこちらの相談内容を承知している。やはり関屋には、火を放たれるという悪質きわまりない嫌がらせを受けてもおかしくない、心当たりがあるのだ。

「関屋さん。待って大丈夫なんでしょうか」

真っ先にそれを訊いた。時間を遅らせれば、また新たな不審火が発生する恐れもあった。しかも明日は、我々二部隊の――サイクル変更前には三部隊の――当番日に当たっていた。

「すまない。悪いが、俺一人で決められることではないんだ……」

関屋が苦しげな声で言った。

「どうしてです。もちろん何か事情がおありだろうとは思います。ですが、関屋さんが覚悟を決める以外にはないはずです」

「そうはいかないんだ。一日でいい。せめて明日まで時間をくれないだろうか」

「いたずらに引き延ばして、何になるんです。待てばその分確実に、我々が危険を背負いかねません。いや、住民までがさらなる危険にさらされる」

「ひとつの家庭が失われるかもしれないことなんだ。頼むから、もう少しだけ待ってもらえないだろうか」

屈託なく笑い返した夫人の顔が思い出された。関屋の持つ後ろ暗さの裏には、犠牲になる者が出てくる事情が横たわっている。ひとつの家庭が失われるかもしれない——と言われれば、その先はおおよそ見当がつく。

あくまで想像にすぎないが、その相手にも家庭があるのではないだろうか。夜になれば家人が帰宅し、気軽に家を空けるわけにはいかなくなる。そのために、不審火の発生する時間帯が、夕方から十一時ごろまでに限られていたのではないのか……。

自ら招いた結果とはいえ、家庭を犠牲にしたくないという気持ちは分からなくもない。だが、このまま見すごせるものでもなかった。

迷いながら、私は言った。

「ひとつだけ約束していただけないでしょうか。せめてあなたが勤務を外れていることを、相手に伝えてはどうでしょうか」

「何？」

「肝心のあなたが休職中だと知れば、火を放ったところで嫌がらせにもならないと分かるはずです」

関屋はしばらく電話口で考えていた。

「それを約束していただけるのなら、しかるべき筋への相談は、一日あとへ延ばそうと思いますが」

それが私にできる、最大の譲歩だった。

関屋は心当たりがありながらも、結果を恐れ、一人でその人物に向かおうとしている。

仮にその恐れが当たっていた場合、犯人が逮捕となれば、いずれにせよ動機の面から彼の名前が出てくるのは避けられないだろう。家庭への影響も避けられない。結果は見えているのかもしれない。

だが、たとえ幕を引くしかないにせよ、それは彼自身が自らの手で行うべきもののように思えるのだった。

私は急かすことなく返事を待った。

「……分かった。明日には必ず連絡をする。それまで待っていてくれるね」

「できる限り、そちらで解決してください」

「ありがとう」

電話は切れた。

6

関屋にすべてを委《ゆだ》ねてしまったが、本当によかったのだろうか、と朝まで迷い続けた。

火を放った者の心当たりが、確実に彼にはあった。だが、口振りから、まだ確証が持てずにいるように聞こえた。その証拠をつかむため、彼は自分が休職中であるとの事実を相手に告げず、二日続けて深夜近くまで家を空けた。連続不審火は、夕方から午後十一時までの時間帯に発生していた。そうやって、相手の動きを見張り、動かぬ現場をつかもうとしたのだろう。

もちろん、証拠をつかんだところで、その相手を警察に突き出すことはできなかったろう。せめて、無駄な放火を思いとどまらせ、別の解決策を図ろうとしたに違いない。

だが、すでに私が気づいてしまった。この先もしまた何か起こった場合には、必ずや彼は非難の矢面《やおもて》に立たされる。そうなれば、家庭はもちろん、失うものは計り知れない。そうなる結果を彼が承知していないはずはなかった。

少なくとも彼は、自分が休職中の身である事実を相手に告げる、と私に約束した。それさえ守ってくれれば、とりあえず無駄な放火は防げるだろう。たとえ複雑な事情が彼の周囲にあったとしても、消防官である関屋が、自分の家庭を守るためとはいえ、市民を放火の危険にさらしておいて平然としていられるとは思いたくなかった。

寝不足の頭を抱えて出勤したせいで、午前中の訓練は散々だった。武石から注意を受け、岩本からは非難の視線を浴びた。消火ホースの装着訓練では、コンビを組んだ小久保にまで私のミスが伝染した。彼も私につき合い、確認呼称を忘れ、翌朝の食事当番を私たち二人が引き受けることとなった。

「すまなかったな。ミスを連発して」

訓練を終えたあとに小久保へ声をかけると、彼はいつになく真顔になり、私を見返した。

「いえ。自分が悪いんだ」

言い終えると、すぐに背中を向けられた。

いつもの小久保なら、軽く笑い飛ばしたはずだった。やはり先日のことがまだ引っかかっているのかもしれない。

由希子とのことがあって以来、私一人が隊の雰囲気を乱していた。関屋を質《ただ》そうとする前に、私には私で解決しなければならない問題が確かにあった。

必ず連絡すると言った関屋からの電話は、午後になっても入らなかった。

練り直しを命じられた来年度の防災計画書の下書きを、六時前になってようやく終えた。約束の今日という日は、あと六時間になった。本当に、関屋からの連絡はあるだろうか。

隊の仲間たちは、すでに一階の食堂へ下りていた。遅れて席を立つと、総務の前で呼び止められた。昨日、サイクル表について尋ねた管理係長だった。

彼は私を廊下へ誘い出すと、首を傾《かし》げながら切り出した。

「どうもよく分からないんだがね」

「はい」

「つい今し方、うちの当番隊の勤務について問い合わせる電話が入ってね」

私はまじまじと係長を見つめ返した。心臓が軽く疼《うず》いた。

「どうも消防について詳しい人のようなんだが、うちの当番隊のサイクルが最近になって変わったかどうか、しつこく訊こうとする電話でね」

サイクルが変わったかどうか——。

どういうことだろうか。私以外にそれを気にしている者が……。

しかも、外部に……。

「ほら——君も気にしていただろ。まさかとは思うが、何か知り合いに行動を追い回されでもしているのかと、つい思ってしまってね」

「では、女性ですか」

係長は心配げな目を向け、重々しく頷いた。

「ああ。ずいぶんとしつこい女性だったよ」

まさか——。

瞬時に思い当たった。まさか関屋が、約束を守らなかったのではないか。自分が休職中だとは告げずに、代わりに隊の勤務サイクルが変更された事実を……。そうすれば、今日は我々二部隊の当番日なので、関屋が出場する日ではないと分かる。結果として、今日一日は、無駄な放火が発生しなくなる……。

だが、そんな急場しのぎのごまかしで、関屋にどれほど得るものがあるだろうか。サイクルの変更など告げなければ、今日が三部隊の当番日だと思い込み、犯人はまた放火に出るかもしれないのだ。その場を捕らえようというのなら、まだ分かりもする。

それとも、関屋とはつながりのない、ただの問い合わせが入ったにすぎないのか——。

心配げな顔を作る係長をその場に残し、私は部屋へ戻った。自分の席まで向かうのがもどかしく、手近なデスクの受話器を取った。手帳を取り出し、メモした関屋の自宅の番号を押した。

「はい、関屋ですが」

昨日の夫人が電話に出た。のんびりとした口調は、一家に差し迫った状況があったとは思えない声だった。

慌《あわ》ただしく名乗ると、夫人は言った。

「どうも昨日は失礼しました、今代わりますから」

関屋は自宅に——いた。もう解決はしたのだろうか。では、なぜ私に連絡をしてこないのか？

じりじりと待っていると、驚いたような声が聞こえてきた。

「君か」

「どういうことです。約束を守っていただけなかったのですか」

勢い込んで言うと、関屋の返事がしばし遅れた。

「聞いてないのか？」

「何をです」

「――あの馬鹿……」

独り言のように言い放った。私への言葉ではない。では、誰に向かって――。

「関屋さん、どういうことです。聞いてないとは、何のことです？　約束を守っていないとなると、もう警察に相談するしか……」

「分かってる。今からそっちへ向かう。いや、その前に電話で確かめるしか――」

叫ぶように関屋はその名前を告げた。

「小久保はいるか。やっと代わってくれ！」

「いえ……しかし、どういう――」

「いいからやつを出してくれ」

言われるままに、部屋の中を見回した。思考が追いついていなかった。隊の仲間たちは、食事をとりに下の食堂へ降りていた。

その時だった。通信室に直結したスピーカーが鳴った。

「練馬区、出火報！」

壁の時計を見上げた。六時十一分。各家庭で夕食の準備に追われている時間帯だ。何も連続不審火と決まったわけではない。そう思おうとした。

「大泉署、第一出場指令！　――出場隊は指揮1、ポンプ1並びに2。救急1。現場は大泉台三丁目八の九」

「またかよ」

部屋に残っていた日勤の者が、苛立たしげに言った。またしても現場は大泉台だった。

「直井、何してる。出場だぞ」

声をかけられ、我に返った。受話器を引き寄せ、素早く言った。

「出場指令がかかりました」

「遅かったか……」

関屋の呟きを聞き、受話器を置いた。ドアを開け、階段を駆け下りた。車庫へ走りながら、血の気が引く思いがした。私はとんでもない思い違いをしていたのかもしれない。

「遅いぞ、直井！」

ポンプ車の脇で、岩本が叫んだ。

防火衣を手に取ったが、袖口がからまり、その場でよろけた。

「ヘルメットはどうした！」

武石に言われて気づいた。ヘルメットを忘れたまま、車に乗り込むところだった。またしても武石の怒鳴り声がかかった。

「何してる、急げ、小久保！」

今度は私ではなかった。壁の前で、まだ小久保が防火衣を着込むのに手間取っていた。

「ぐずぐずするな、早く乗れ！」

武石が焦《じ》れたように言った。もう指揮車と二号車はサイレンを鳴らして発進していた。

私はヘルメットをつかむと、小久保ともつれるようにして後部座席へ乗り込んだ。ドアが閉まりきらないうちに、ポンプ車がスタートする。

「――指令室より各車へ。現場は木造家屋。火の廻りが早く、塀を越えて隣家に迫っている模様。なお、通報者によれば、出火元は現在空き家との情報がある。現場着次第、確認を願いたい」

「――大泉指揮1より指令室へ。念のため、レスキューの手配を願います」

「――指令室、了解。すでに武蔵野署に出動要請ずみです」

車内に無線が続く。空き家からの出火となれば、やはり放火の可能性は高い。

私は横に座る小久保を見つめた。彼は目を見開き、前方を凝視している。先日の体育館の前でも、彼はこんな表情を作っていた。

まさかあの時に、彼は勤務サイクルとの符合に気づき……。心なしか彼の頬が震えて見えるのは、車の振動のせいだけとは思えなかった。

私は小久保の耳元に顔を寄せた。

「関屋さんから連絡をもらったはずだな」

小久保は首を振るばかりで、返事はなかった。私や岩本とそう年齢は変わらないが、彼には妻と可愛い盛りの二児があった。

「おまえ、あの人に何を言われた」

「……れは……えたんだ……」

「伝えたんだ……どうしてだよ。俺は伝えたのに……」

サイレンと無線に押され、よく聞こえなかった。小久保の唇がわななくように動いた。

「まさかおまえ、その場しのぎにサイクルの変更を……」

――ひとつの家庭が失われるかもしれない。あれは関屋ではなく、小久保の家庭のことだったのではないのか……。

最初の二件の不審火は、カモフラージュのためのものだった。放火犯は大泉署の勤務サイクルに詳しかった。小久保から聞き、月変わりとともにサイクルが変更されると知った。それを利用し、最初の二件は三部隊の当番日に火を放った。そうすれば、たとえサイクルとの符合に気づかれたとしても、三部隊の者への嫌がらせだろう、と警察も考えてくれる。その狙い通りに、私が誤解し、関屋のもとを訪れたのだ。

「関屋さんがどうして知っていた」

疑問をそのまま小久保にぶつけた。

「あの人しか……頼める人が、いなかったから……」

今さらながら、唇を嚙んだ。関屋は自分のことではないから、一日だけ時間をくれ、と私に言ったのだ。そして、その事実を小久保に告げた。もうごまかしは利かない、そう宣告したつもりだったが、小久保はその場しのぎの行動に出た。サイクルが新たに変更になったとの嘘を、相手に伝えた。そうすれば、とりあえずの時間稼ぎにはなる。

だが、署に確認の電話を入れた女性は、明確な答えを返さない係長の話しぶりから、サイクルの変更はない――小久保の話はやはり嘘だった――と悟った。そして、嘘を告げた小久保に思い知らせるため、空き家に火を――。

「何をごちゃごちゃ言っている」

岩本がこちらへ乗り出し、私たちを見回した。確かに今は、消火以外のことに気を取られている時ではなかった。

「見えたぞ!」

助手席で武石が叫んだ。視線を前に戻すと、陽が落ちて灰色がかった空にオレンジ色の照り返しが見えた。夕焼けではあり得なかった。見るまに輝きや濃度を変える夕焼けはない。

車が住宅街の細い路地を右に折れた。その瞬間、フロントガラスの向こうに、うごめく火の手が見えた。瓦屋根を呑み込むように、窓という窓から炎が空に向かって手を伸ばしていた。

火事場見物に集まって来た者を蹴散らすようにして、前方で指揮車が停車した。スライドドアが開き、仲間たちが降り立った。見物人に向かって手を広げて押し戻しにかかる。無線が叫ぶ。

「——指揮1より各車へ。ポンプ1は正面から、ポンプ2は左側面から接近！」

「——ポンプ1、了解。行くぞ」

武石が、火の粉の降りそそぐ路上へ飛び出た。私もヘルメットを押さえて車を降りた。現場とは五メートル近く離れていたが、熱風が頬を撫で上げた。後ろを見ると、小久保も青ざめた顔で続いて来た。

炎の巻き起こす風音が鼓膜を揺らした。右サイドのシャッターをあけ、消火ホースをつかみ取った。

「装着完了！」

岩本の動きは素早い。遅れてなるものかと、私もホースを伸ばして走った。風は北から。庭木の枝がわずかに揺れている。炎の作る熱風のほうが遥かに強い。

炎が木造の扉を押し分け、玄関先から吹き出していた。二部隊の放水がすでに左の駐車場脇から始まっている。だが、炎の勢いは衰えを見せない。正面三メートル先の路上で、岩本に並び、ホースを構えた。

「放水準備、よし！」

「放水！」

武石の指令が飛んだ。ポンプ車でエンジン音が高まり、うなりが上がる。命を吹き返したように、ホースが足元でうねりながらふくれ始めた。水の波動が伝わってくる。腕が震えた。

ポンプ車の送り出す水は毎分五百リットル。炎の吹き出す玄関ドアめがけ、水流を放った。煙と蒸気がぶつかる。腰を据《す》えて狙いをつけた。吹き上がる炎を放水で割り裂いていく。

「岩本はそのまま。直井と小久保は塀を越えて、二階右手の窓を狙え！」

火の手の勢いは、玄関口のほうが強い。だが、二階を駆け上がる炎が、隣家に迫ろうとしていた。延焼を食い止めるのが、何より先決だった。

熱風を跳ね返し、炎に一歩近づいた。跳ね返された水が、熱を持った雨となって降りかかる。また一歩。もう少しで、二階の窓に放水が届く。

「どうした、小久保！」

岩本の叫びが聞こえた。私の横に小久保の放水が続いていない。それどころか、足元をなぜか水流がたたきつけていた。

振り返った。見ると、持ち手を失ったホースが、炎を前にして突如狂い出した蛇のようにうごめいていた。小久保の姿は、その横だった。火の粉と飛沫の降りそそぐ路面に膝をつき、身をすくませていた。炎の照り返しを受けて赤く染まった顔から、一切の表情が消え去っていた。

「何をしている！」

腰を落として放水を続けたまま、私は叫んだ。武石が駆けて来て、動き回るホースに飛びつこうとしている。

「だめです……行けません……」

木のはぜる音と放水の中、小久保の声がかすかに届いた。火の手は確かに勢いがある。だが、この程度の火災は、小久保なら、すでに経験ずみのはずだった。彼の足をその場に縛りつけているのは、炎への恐れではない。その向こう側に、彼は何者かの姿を見ていた。燃え盛る炎に負けない、その人物の激しい思いを――。

「直井、どこを見てる！」

ホースを手にした武石が叫んだ。横からも岩本が私を呼んだ。

「早く塀を越えて廻り込め！　俺一人で玄関前を押さえてやる。延焼を防げ！」

力強い声に、姿勢を戻した。ずぶ濡れになった岩本が腰だめに片腕でホースを抱え持ち、炎へ向かえとばかりに、もう片方の腕を振った。私にもこの先で見つめなければならないものはあった。だが、今は消火に向かう時だった。

岩本と顔を見合わせ、頷き合った。彼を信じ、私はまた一歩、炎に近づいて行った。

7

焼け落ちて柱だけになった二階屋の前で、小久保はうなだれ、警察からの事情聴取を受けた。

撤収作業を続けていると、武石が群から離れ、一人だけ先に戻って来た。

「女ですか」

岩本が訊いた。先ほどの小久保の様子から大体の察しをつけていたのだろう。

「相手にも家庭があれば、深夜にそうそう出歩けはしないでしょうからね」

「さあな」

武石は口を濁して首を振った。

「俺たちは先に帰るぞ」

小久保にはまだ警察に説明しなければならないことがあるようだった。

「女には気をつけろって教訓だな」

機関員の高田がしたり顔で言いながら、運転席のドアを開けた。それを聞き、岩本が上目遣いに睨むような視線を送ってきた。

おまえもだぞ。子供がいたと知って、おまえは逃げるんじゃないだろうな。そう私に言いたかったに違いない。現場ではどれだけ私に力を貸そうと、それが私たちの仕事だからで、ほかで中途半端をすれば、許しはしない。そんな彼らしい強い意思が感じられた。

小久保と関屋の関係については、撤収作業の最中に知った。隣の二号車から、噂する声が聞こえた。

──そういや今の結婚も、三部隊の関屋さんの執り成しで、何とかまとまったんだよな。あいつの女好きも困ったもんだ。

小久保の妻は、どうやら関屋の知人の娘だったようである。一日だけ時間をくれ。あれは小久保のためではなく、その妻と子供を思いやっての言葉だったのだろう。だが、その願いは炎に焼かれ、届かずに終わった。

署へ戻ると、すでに話が伝わっていたらしく、予備隊員が召集されていた。たとえ小久保が警察から戻って来たにせよ、引き続き任務につく気力はないだろう。だが、火災は待ってくれない。指令が出されれば、隊員は何度でも出場し、炎へ向かわなければならなかった。

署へ来ると言っていた関屋の姿はなかった。おそらくは警察へ向かい、小久保を待ち受けているのだろう。その小久保を待ち受けるべき家庭はこの先もあるだろうか。ついそんなことを考えていた。

誰もが押し黙り、車と備品の点検を行った。濡れた防火衣の露を払って壁にかけた。使用ずみのエアタンクを新しいものに交換する。

次の出場に向けた準備をあらかた終え、仮眠室へ向かおうとした時だった。

「保谷市、出火報！」

スピーカーが鳴った。隊員たちが一斉に動きを止めた。管内の火災ではないが、場所によってはこちらにも出場指令が出される。息を呑むように誰もがスピーカーに注目した。

「――大泉署、第一出場指令！」

「またかよ」

「ぶつくさ言うな、急げ」

「そうそう、消し止めてから、不運を呪《のろ》えばいいんだ」

隊員たちが口々に言って動き出した。私も防火衣に手を伸ばした。

「――現場は保谷市北町七丁目六の十、明星コーポ……」

――馬鹿な。

耳を疑った。その場から動けなくなった。岩本が水滴のついたヘルメットをつかんで、こちらを向いた。

「どうした、直井。出場だぞ」

その声に引き戻され、何とか防火衣を身にまとえた。だが、消火跡の泥濘《ぬかるみ》にはまったかのように、足元が頼りなくなっていた。

「何ぐずぐずしてる！」

目の前で怒鳴る岩本の目を見返した。

「おまえ、住所に心当たりが……ないのか」

「それがどうした」

岩本が不思議そうに目を瞬いた。ようやく思い当たったのか、私を見つめた。

「そう……彼女のアパートなんだ」

震えが背中を駆け上がっていった。


大泉署のポンプ車が到着した時には、すでに火は消し止められていた。119番通報のあった直後に、アパートの階段に設置されていた消火器を使い、住人たちが消し止めたのだという。途中で無線連絡が入らなければ、私も小久保のように動けず、隊の足手まといになっていたかもしれない。

私は武石に事情を説明し、一人でポンプ車を降りた。住人たちが不安そうに二階を見ていた。救急車の回転灯を横目に、アパートの階段を駆け上がった。

出火元についても、無線で情報が入っていた。二〇五号室だという。由希子たちの部屋だった。

二階の通路の奥では、保谷署の記録係が現場の写真撮影をしていた。消火剤の白い粉が、玄関口から通路へ飛び出している。その白さが一瞬、私の視覚を奪おうとした。

手すりにつかまり、二〇五号室の玄関へ近づいた。何だね、君は。誰かが呼び止めようとする声が聞こえた。その向こうから、小さく子供のすすり泣きが漂ってきた。

息を呑み、玄関から中をのぞいた。

消防隊と救急隊員に囲まれ、うずくまるひとつの影があった。ひとつではあったが、それは二人の姿だった。消火剤を浴びて白くなったキッチンのフロアに膝をつき、由希子が娘を抱き締めていた。母親の肩先に見えていた久美子の頭が、しゃくり上げるように上下している。

「大丈夫か……」

やっと言葉が口をついて出た。隊員たちが何事かと振り返った。ヘルメットを取って一礼し、白くなった玄関へ上がった。

見た目には、少なくとも二人に怪我はない。久美子の肩口へ押しつけるようにしていた由希子の顔が上がった。彼女も娘と同じように泣いていた。くしゃくしゃになっていた泣き顔が、私を認めてさらにゆがんだ。

「ほら……」

由希子が娘の肩をつかんで、小さく揺すった。久美子の頭がぴくりと動き、それからこちらを振り返った。

「もう怖くないぞ、久美子ちゃん。おじさんが来たからな」

私は強張りそうになる頬をゆるめ、久美子の前にかがみ込んだ。

一瞬止まった久美子の泣き声が、再び大きくなった。由希子の胸に顔を埋めるようにして、しがみついた。

「ごめんなさい……」

「いいのよ、もう」

由希子が娘の背中に手を回して言った。

「だって……ママは、あたしのために……。だから、ちょっと火をつければ……そうすれば、来てくれるって……こんなになるなんて、思わなかったから……」

「久美子、あなた……」

由希子の声も、涙のせいでもうほとんど聞こえなくなっていた。

私は知った。久美子は母の様子から、やはりすべてを察していた。このままでは、自分のために、母は幸せをあきらめてしまう。自分が悪いのに。幼心にそう感じ取っていた。でも、火を放てば、消防士をしているあの人が母の前に現れてくれる――。ほんの小さな火でもいい。火事だと言えば、あの人が来る――。

もしかすると、と私はぼんやりとする頭で考えていた。もしかすると、小久保の相手の行為にも、彼に会いたい、そんな思いが込められていたのかもしれない。家庭を持つ者同士では、とても気軽に会えなかっただろうとは想像できた。私たち消防士は、通報があれば、火を消すために現場へ急行する。たとえどんな小火だろうと。くすぶり続ける炎さえ、そこにあれば——。

「いいのよ、もう。もういいから……」

ひとつになったように離れないでいる二人を見つめ、私は固く心に誓った。

昔の自分を愛せないはずはない——と。

《主要参考文献》

『警察の本3』　ラジオライフ編（三才ブックス）
『洋上の達人』　前屋毅（マリン企画）
『日本の空襲』　朝日新聞企画第一部（原書房）
『日本空襲の全容』　小山仁示訳（東方出版）
『中小都市空襲』　奥住喜重（三省堂）
『東京を爆撃せよ』　奥住喜重・早乙女勝元（三省堂）
『救助法　活動の基本と実技』　消防大学校編（ぎょうせい）
その他、新聞、雑誌、消防庁発行のパンフレット等を参考にさせていただきました。

また、非常にお忙しい中、快く取材に応じてくださった海上保安庁特殊救難隊、陸上自衛隊第一〇二不発弾処理隊、杉並消防署の皆様に心から感謝いたします。貴重なお話をうかがわせていただき、本当にありがとうございました。

なお、この作品はフィクションであり、実在する個人、団体等とは一切関係ありません。

真保裕一

解説

西上心太

一九九一年に第37回江戸川乱歩賞を受賞したデビュー作の『連鎖』以来、真保裕一の作品にリアルタイムで接してきたわけだが、どの作品を読んでも共通して伝わってくるのが、手抜きとは無縁の安易に妥協しない創作態度だった。今年がデビューからちょうど十年にあたるが、その間に発表された作品は十二冊。年に一冊強という発表ペースは欧米ではあたり前かもしれないが、多作を強いられがちなわが国においては〝寡作〟な部類に入るのではないだろうか。

「貧乏には慣れている」と、どこかで本人は語っていたようだが、丁寧で綿密な取材を当然のように行ない、納得がいくまで作品の彫琢を繰り返す。目先の業績よりも後々にまで残る自分の作品に心を配った仕事ぶりは、まさに頑固一徹な職人を髣髴《ほうふつ》させた。編集者や作家仲間、あるいは書評家たちにはデビュー作の時から高い評価を受けていたにもかかわらず、真保裕一の腕前と、作り上げた作品の質の高さがようやく一般読者に伝わったのは、一九九五年の『ホワイトアウト』の頃からだろうか。発電所を乗っ取ったテロリストグループを相手に、単身闘いを挑む男を描いた、ノンストップ・アクション小説は宝島社の「このミステリーがすごい！」'96年版で堂々の第一位に輝くと同時に、吉川英治文学新人賞を受賞した。そして翌年に発表された、贋札に取り憑かれた男たちと、贋札製造のディテールをたっぷりと描いたサスペンス巨編の『奪取』は「このミス」'97年版の二位、続いて第50回日本推理作家協会長編賞を受賞した。〝知る人ぞ知る〟という存在だった腕のいい職人に、やっと世間が気づき注文が殺到した瞬間であった。

真保裕一についての面白いエピソードに偶然遭遇したことがある。昼前のひととき、いつものようにAMラジオを聞いていたら、〝生意気な奴〟という特集で、リスナーの投稿が紹介されていたのだ。

曰く、「私が勤めるアニメ制作会社にいた社員が、新入りのくせに実に理屈っぽく、こちらのいうことに対して、必ず何かしら言葉を返し、右といえば左、左といえば右とことごとく逆らうのである。しかし後になって考えてみると彼のいうことの方が正しく、よりよいモノができた。だけど腹の中では生意気な奴と思っていた。その社員は今は会社を辞め、流行作家になっている……」というような内容だった。

元アニメ会社勤務で、こんな言動をする流行作家……、少なくともわたしは真保裕一以外知らない。ふーむ、雀百まで（古いね）というが、上におもねず、実行を伴う正論を吐く。毅然とした態度は作家になる以前から培われていたのであったのか。

さて、こんなことを書くと窮屈でとっつきにくい人間という印象を与えてしまうかもしれないが、実はそんなことはない。素顔は草野球好きのスポーツマンで、推理作家協会ソフトボール同好会の試合ではレフトを守り、あらゆる打球をキャッチする名手で知られている。さらに、出版記念パーティなどの席上では、〝教授〟こと評論家の新保博久氏と、〝ダブル・シンポ〟なる即席漫才コンビを組んで、ユニークな祝辞を行なうなど、作品のイメージが狂う（？）剽軽な一面も持ち合わせているのだ。

真保裕一がディック・フランシスに強い影響を受けていることは、今やあまねく知れ渡っている。特に顕著なのは、主人公の造形であろう。自分の職業に対する強烈なプロ意識、周囲に流されない強い意志と克己心。フランシスが三十年以上にわたり連綿と書き続けてきた競馬シリーズの主人公たちと共通する。しかしこれまで述べたように、これは真保裕一自身が有する資質でもある。真保裕一はフランシスに影響を受け、フランシス流のヒーローを自分の小説に置き換えたのではなく、無意識のうちにフランシス描くヒーローと自己の資質が共鳴しあい、自分自身を投影した、かくありたいという理想のヒーロー像を描き続けてきたのではないだろうか。

もちろん、作家自身と、作家が描く登場人物を含む世界は別個のものであると捉えることがふつうなのは承知しているが、真保裕一という存在は、他のどのような作家よりも強くそう感じさせるものを持っているのである。

本書『防壁』は『盗聴』に続く、真保裕一の二番目の短編集である。先に挙げた『ホワイトアウト』や『奪取』をはじめ、いくつもの長編傑作を知る読者にとって真保裕一＝長編作家という図式がすでにインプットされているかもしれない。もちろん真保裕一の長編作家としての膂力には、目を見張るものがあることはまちがいないが、密度の濃い短編の名手でもあることも忘れてはならない。

たしかに第一短編集の『盗聴』は、いずれの作品もプロットに工夫を凝らしているが、文庫版解説の結城信孝氏の言にあるように「プロットそのものが短編向きではな」い作品が多かったように思う。プロットにヒネリがあるのは良いのだが、いかんせん短編という制約の中では、窮屈で煩わしく感じられたのである。しかし本書以降の短編集では、短編においては贅肉になりかねない余分なエピソードを排除して、人生の一断面を切り取って見せてくれる。短編小説のあり方をすっかりマスターしたといっていいだろう。

また本書以降の短編集は、いずれも一貫したテーマで一冊を構成しているのが特徴だ。第三短編集の『トライアル』は、競艇、競輪、競馬、オートレースという公営ギャンブルの選手や関係者を主人公にした作品集であるし、また最新作の『ストロボ』は五十歳を過ぎたプロカメラマンが過ごしてきた人生の節目節目を、時系列を逆に——現在から過去に遡って描いていく連作となっている。

初期長編が、これまであまり小説に取り上げられることのなかった公務員を主人公にしたことから、〝小役人〟シリーズなどといささか揶揄《やゆ》したような呼び方をされたこともあったが、本書は同じ公務員でも危険と隣り合わせ、命を賭けた任務に就く特殊公務員をフィーチャーした短編集なのである。

楯となって政府要人を守る警視庁警護課員《SP》（「防壁」）、潜水具をつけ沈没船などの海難救助にあたる海上保安庁特殊救難隊員（「相棒（バディ）」）、地中に埋まった不発弾を処理する陸上自衛隊不発弾処理隊員（「昔日」）、そして火災の鎮火にあたる消防庁の消防士（「余炎」）という具合だ。

そして本書のもう一つのテーマが、主人公と彼を取り巻く女性——妻や恋人たちとの葛藤を描くことにあるのだ。

「防壁」では、主人公佐崎の同僚でもある義兄が勤務中に狙撃され負傷する。しかし佐崎は事件の裏に、義兄の妻である姉と深い関係にあった上司の企みがあるのではないかと疑いを持ちはじめる。しかしそれでも佐崎は要人の楯となって立たなければならなかった。同時に、危険な仕事ゆえに恋人との距離を詰めようとしない佐崎の思惑も暗示される。

「相棒（バディ）」の主人公長瀬も、職務のストレスから逃れるように女性を渉猟《しょうりょう》している。長瀬の身勝手さによって、三年間つきあった恋人が自殺未遂を引き起こした末に失踪してしまう。長瀬は自殺未遂の原因となった新しい恋人と結婚することを決意したが、その彼女からは仕事を辞めるように説得される。その時になってはじめて、自分と仕事との密接な繋がりを認識し、一番大事な存在を思いやるのだった。そんな時、沈没船に閉じ込められた船長を救う、危険な任務に赴かなければならなかった。

「昔日」の主人公高坂にいたっては家庭を崩壊させた過去を持っている。彼は自分の仕事の危険さゆえ、挙式直前まで仕事の内容を打ち明けることをしなかった。だが子供を出産する望みを絶たれた妻は、ついに一人で夫の帰りを待つ辛さに耐え切れず、精神のバランスを崩し、ある悲劇的な事件を引き起こす。そして、今は新しい家庭を築いた高坂の元に、その別れた妻から手紙が届いた。大型爆弾の処理に挑みながら、高坂は別れた妻との生活に思いを馳せる……。

「余炎」の直井は子連れの女性との結婚を考えているが、その子に同じ境遇だった子供時代の自分の姿を見てしまう。そんなおり、放火現場に出動した直井は、そこに恋人の子供の姿を見つける。やがて恋人が住むアパートの部屋から火が……。

社会の安全を守るため、身の危険を顧みず不断の努力を続ける男たち。しかし一番大事なはずの妻や恋人に強いストレスなどの負担がかかってくる矛盾。そして仕事中にふと持ち上がる疑問。

真保裕一のヒーローたちが、強い意志と克己心を持っていることは先に述べた通りだが、それらプラスの部分に加え、人間的な弱さというマイナスの部分も当然持ち合わせていた。しかし本書以降、より主人公の負の部分を描くことに重点を置こうとする作者の意思が強まったように思えるのだ。『ホワイトアウト』では、自分の怯懦な行動が親友を死なせたのではないかという負い目が常に主人公の脳裏を離れないし、『密告』では作品名どおり、自己の利益のためライバルの些細な逸脱行為を密告した過去を持つ主人公が登場した。これらの負い目を払拭しようとすることが、結果的に主人公たちが困難に立ち向かっていく行動の原理となっていく。マイナスをプラスに転化しようともがく姿を描きつつ、人間の弱さを見据える作者の姿勢が窺《うかが》えるのである。

本書では、主人公たちがプライベイトで抱える人間的な弱みが、わずかでも集中力を失うことが死を意味する危険な仕事の最中においてもふと顔を覗かせ、それがサスペンスを産むと同時に、いかにして彼らがそれを克服していくかが読みどころとなっている。

しかも短編であるがゆえに、主人公の職業に対する矜持と、愛する者たちとの間で揺れ動く心模様が、より明確な形で浮き彫りにされる。ひいてはそれが主人公を含む、より深い人間を造形することに成功しているように思える。

いい変えれば、真保裕一は特殊な職業を描きながら、愛憎に悩む普遍的な男女の姿を描き出したのだ。

〝公僕〟という言葉が決して死語ではないという事実を、あらためてわれわれに示してくれる余録までつけて。

初出誌
防壁　「別冊小説現代」一九九四年七月号
相棒　「小説現代」一九九五年三月号
昔日　「小説現代」一九九六年十月号
余炎　「小説現代」一九九七年九月号
単行本化に際し、大幅に加筆しました。

この本は一九九七年十月に小社より刊行された作品です。

|著者|真保裕一　1961年東京都生まれ。アニメーションディレクターを経て、1991年『連鎖』で第37回江戸川乱歩賞を受賞しデビュー。1996年、『ホワイトアウト』で吉川英治文学新人賞、1997年、『奪取』で日本推理作家協会賞と山本周五郎賞をダブル受賞する。著書は他に、『取引』『震源』『盗聴』『防壁』『トライアル』『朽ちた樹々の枝の下で』『ボーダーライン』『ストロボ』『黄金の島』など。

防壁《ぼうへき》

真保裕一《しんぽゆういち》

2000年7月15日第1刷発行
2002年11月5日第10刷発行

発行者──野間佐和子

発行所──株式会社 講談社

東京都文京区音羽2-12-21　〒112-8001

電話 出版部 (03) 5395-3510
販売部 (03) 5395-5817
業務部 (03) 5395-3615

Printed in Japan

講談社文庫

定価はカバーに表示してあります

デザイン―菊地信義

製版――大日本印刷株式会社

印刷――豊国印刷株式会社

製本――株式会社若林製本工場

落丁本・乱丁本は購入書店名を明記のうえ、小社書籍業務部あてにお送りください。送料は小社負担にてお取替えします。なお、この本の内容についてのお問い合わせは文庫出版部あてにお願いいたします。

ISBN4-06-264911-X

講談社文庫刊行の辞

二十一世紀の到来を目睫に望みながら、われわれはいま、人類史上かつて例を見ない巨大な転換期をむかえようとしている。

世界も、日本も、激動の予兆に対する期待とおののきを内に蔵して、未知の時代に歩み入ろうとしている。このときにあたり、創業の人野間清治の「ナショナル・エデュケイター」への志を現代に甦らせようと意図して、われわれはここに古今の文芸作品はいうまでもなく、ひろく人文・社会・自然の諸科学から東西の名著を網羅する、新しい綜合文庫の発刊を決意した。

激動の転換期はまた断絶の時代である。われわれは戦後二十五年間の出版文化のありかたへの深い反省をこめて、この断絶の時代にあえて人間的な持続を求めようとする。いたずらに浮薄な商業主義のあだ花を追い求めることなく、長期にわたって良書に生命をあたえようとつとめるところにしか、今後の出版文化の真の繁栄はあり得ないと信じるからである。

同時にわれわれはこの綜合文庫の刊行を通じて、人文・社会・自然の諸科学が、結局人間の学にほかならないことを立証しようと願っている。かつて知識とは、「汝自身を知る」ことにつきていた。現代社会の瑣末な情報の氾濫のなかから、力強い知識の源泉を掘り起し、技術文明のただなかに、生きた人間の姿を復活させること。それこそわれわれの切なる希求である。

われわれは権威に盲従せず、俗流に媚びることなく、渾然一体となって日本の「草の根」をかたちづくる若く新しい世代の人々に、心をこめてこの新しい綜合文庫をおくり届けたい。それは知識の泉であるとともに感受性のふるさとであり、もっとも有機的に組織され、社会に開かれた万人のための大学をめざしている。大方の支援と協力を衷心より切望してやまない。

一九七一年七月

野間省一

講談社文庫　目録

柴田よしき　フォー・ディア・ライフ
新野剛志　八月のマルクス
島村麻里　地球の笑い方
殊能将之　ハサミ男
杉本苑子　孤愁の岸(上)(下)
杉本苑子　引越し大名の笑い
杉本苑子　汚名
杉本苑子　女人古寺巡礼
杉本苑子　利休 破調の悲劇
杉本苑子　江戸を生きる
杉本苑子　歌舞伎のダンディズム
杉本苑子　「更科日記」を旅しよう〈古典を歩く5〉
杉本苑子　風の群像(上)(下)〈小説・足利尊氏〉
杉本苑子　私家版かげろふ日記
鈴木健二　気くばりのすすめ
杉田望　自動車密約
杉浦日向子　東京イワシ頭
杉浦日向子　入浴の女王
杉浦日向子　呑々草子

杉洋子　粧刀　チャンドウ
杉洋子　海潮音
鈴木輝一郎　ご立派すぎて
鈴木輝一郎　美男忠臣蔵
須田慎一郎　長銀破綻〈エリート銀行の光と影〉
砂守勝巳　沖縄シャウト
鈴木龍志　愛をうけとって
末永直海　浮かれ桜
瀬戸内晴美　かの子撩乱
瀬戸内晴美(寂聴)　かの子撩乱その後
瀬戸内晴美　京まんだら(上)(下)
瀬戸内晴美　彼女の夫たち(上)(下)
瀬戸内晴美　蜜と毒
瀬戸内寂聴　寂庵説法
瀬戸内晴美　再会
瀬戸内寂聴　新寂庵説法　愛なくば
瀬戸内晴美　家族物語(上)(下)
瀬戸内寂聴　生きるよろこび〈寂聴随想〉
瀬戸内寂聴　寂聴 天台寺好日

瀬戸内寂聴　人が好き「私の履歴書」
瀬戸内寂聴　渇く
瀬戸内寂聴　愛死(上)(下)
瀬戸内寂聴　白道
瀬戸内寂聴　「源氏物語」を旅しよう〈古典を歩く4〉
瀬戸内寂聴　いのち発見
瀬戸内寂聴　無常を生きる〈寂聴随想〉
瀬戸内寂聴　わかれば『源氏』はおもしろい〈寂聴対談集〉
瀬戸内晴美編　火と燃えた女流文学〈人物近代女性史〉
瀬戸内晴美編　新時代のパイオニアたち〈人物近代女性史〉
瀬戸内晴美編　国際結婚の黎明〈人物近代女性史〉
瀬戸内晴美編　恋と芸術への情念〈人物近代女性史〉
瀬戸内晴美編　自立した女の栄光〈人物近代女性史〉
瀬戸内晴美編　反逆の女のロマン〈人物近代女性史〉
瀬戸内晴美編　明治女性の知的情熱〈人物近代女性史〉
瀬戸内晴美編　人類愛に捧げた生涯〈人物近代女性史〉
梅原猛
瀬戸内寂聴　寂聴・猛の強く生きる心
関川夏央　よい病院とはなにか〈病むことと老いること〉
関川夏央　水の中の八月